Gestão da qualidade e processos

Central de Qualidade – FGV Management
ouvidoria@fgv.br

PUBLICAÇÕES FGV Management

SÉRIE GESTÃO EMPRESARIAL

Gestão da qualidade e processos

Isnard Marshall Junior

Alexandre Varanda Rocha

Edmarson Bacelar Mota

Odair Mesquita Quintella

FGV management

FGV EDITORA

Direitos desta edição reservados à
EDITORA FGV
Rua Jornalista Orlando Dantas, 37
22231-010 – Rio de Janeiro, RJ – Brasil
Tels.: 0800-021-7777 – 21-3799-4427
Fax: 21-3799-4430
e-mail: editora@fgv.br – pedidoseditora@fgv.br
web site: www.fgv.br/editora

Impresso no Brasil / *Printed in Brazil*

1ª edição – 2012; 1ª, 2ª E 3ª reimpressões – 2013; 4ª, 5ª e 6ª reimpressões – 2014. 7ª e 8ª reimpressões – 2015; 9ª reimpressão – 2016.

Revisão dos originais: Sandra Frank

Editoração eletrônica: FA Editoração Eletrônica

Revisão: Elisa Rosa e Fernanda Mello

Capa: aspecto:design

Ilustração de capa: Anderson Barros

Ficha catalográfica elaborada pela Biblioteca
Mario Henrique Simonsen/FGV

Marshall Junior, Isnard.
Gestão da qualidade e processos / Isnard Marshall Junior...[et al.]. -Rio de Janeiro : Editora FGV, 2012.
204 p. - (Gestão empresarial (FGV Management))

Em colaboração com: Alexandre Varanda Rocha, Edmarson Bacelar Mota, Odair Mesquita Quintella.
FGV Management Publicações.
Inclui bibliografia.
ISBN: 978-85-225-0968-3

1. Gestão da qualidade total. I. Rocha, Alexandre Varanda. II. Mota, Edmarson Bacelar. III. Quintella, Odair Mesquita. IV. FGV Management. V. Fundação Getulio Vargas. VI. Título. VII. Série.

CDD – 658.562

Aos nossos alunos e aos nossos colegas docentes, que nos levam a pensar e repensar nossas práticas.

Nossos agradecimentos ao professor Carlos José Corrêa, por sua colaboração na revisão do conteúdo da primeira edição desta obra.

Sumário

Apresentação

Este livro compõe as Publicações FGV Management, programa de educação continuada da Fundação Getulio Vargas (FGV).

Instituição de direito privado com mais de meio século de existência, a FGV vem gerando conhecimento por meio da pesquisa, transmitindo informações e formando habilidades por meio da educação, prestando assistência técnica às organizações e contribuindo para um Brasil sustentável e competitivo no cenário internacional.

A estrutura acadêmica da FGV é composta por nove escolas e institutos: a Escola Brasileira de Administração Pública e de Empresas (Ebape), dirigida pelo professor Flavio Carvalho de Vasconcelos; a Escola de Administração de Empresas de São Paulo (Eaesp), dirigida pela professora Maria Tereza Leme Fleury; a Escola de Pós-Graduação em Economia (EPGE), dirigida pelo professor Rubens Penha Cysne; o Centro de Pesquisa e Documentação de História Contemporânea do Brasil (Cpdoc), dirigido pelo professor Celso Castro; a Escola de Direito de São Paulo (Direito GV), dirigida pelo professor Oscar Vilhena

Vieira; a Escola de Direito do Rio de Janeiro (Direito Rio), dirigida pelo professor Joaquim Falcão; a Escola de Economia de São Paulo (Eesp), dirigida pelo professor Yoshiaki Nakano; o Instituto Brasileiro de Economia (Ibre), dirigido pelo professor Luiz Guilherme Schymura de Oliveira; e Escola de Matemática Aplicada (EMAp), dirigida pela professora Maria Izabel Tavares Gramacho. São diversas unidades com a marca FGV, trabalhando com a mesma filosofia: gerar e disseminar o conhecimento pelo país.

Dentro de suas áreas específicas de conhecimento, cada escola é responsável pela criação e elaboração dos cursos oferecidos pelo Instituto de Desenvolvimento Educacional (IDE), criado em 2003 com o objetivo de coordenar e gerenciar uma rede de distribuição única para os produtos e serviços educacionais da FGV, por meio de suas escolas. Dirigido pelo professor Clovis de Faro e contando com a direção acadêmica do professor Carlos Osmar Bertero, o IDE engloba o programa FGV Management e sua rede conveniada, distribuída em todo o país (ver www.fgv.br/fgvmanagement), o programa de ensino a distância FGV Online (ver www.fgv.br/fgvonline), a Central de Qualidade e Inteligência de Negócios e o Programa de Cursos Corporativos In Company. Por meio de seus programas, o IDE desenvolve soluções em educação presencial e a distância e em treinamento corporativo customizado, prestando apoio efetivo à rede FGV, de acordo com os padrões de excelência da instituição.

Este livro representa mais um esforço da FGV em socializar seu aprendizado e suas conquistas. Ele é escrito por professores do FGV Management, profissionais de reconhecida competência acadêmica e prática, o que torna possível atender às demandas do mercado, tendo como suporte sólida fundamentação teórica.

A FGV espera, com mais essa iniciativa, oferecer a estudantes, gestores, técnicos – a todos, enfim, que têm internalizado o conceito de educação continuada, tão relevante nesta era do conhecimento – insumos que, agregados às suas práticas, possam contribuir para sua especialização, atualização e aperfeiçoamento.

Clovis de Faro
Diretor do Instituto de Desenvolvimento Educacional

Ricardo Spinelli de Carvalho
Diretor Executivo do FGV Management

Sylvia Constant Vergara
Coordenadora das Publicações FGV Management

Introdução

Disseminados a partir da década de 1950, os princípios norteadores da gestão da qualidade e dos processos passaram a ser absorvidos pela maior parte das organizações somente nas últimas décadas do século passado. Desde então, a qualidade começou a ser entendida também como um instrumento estratégico, cuja utilização passou a ser valorizada pelo mercado.

A gestão da qualidade integrou inicialmente o cotidiano das organizações, seja qual fosse seu porte, sua atividade e seu alcance de atuação, fossem públicas ou privadas, em função de alguns fatores. Entre eles, podemos citar a difusão de normas internacionais, como as da série International Organization for Standardization (ISO) 9000; o estreitamento das relações cliente-fornecedor, associado à aprovação de legislações de defesa do consumidor; a formação de blocos e grupos econômicos; o aumento da concorrência, com a presença de empresas cada vez mais diversificadas; e as crescentes pressões dos mais variados públicos – sociedade, colaboradores, fornecedores, acionistas, clientes e setor público.

Os processos e modelos que integram o universo dessa temática possibilitam o contínuo aperfeiçoamento das empresas, que, a todo instante, são conduzidas a alterar suas sistemáticas e seus procedimentos, na tentativa de atingir maiores patamares de competitividade.

A gestão da qualidade não significa apenas o controle da produção, a qualidade intrínseca de bens e serviços, a aplicação isolada de ferramentas e métodos de gestão, ou uma assistência técnica apropriada. Numa visão mais ampla, os conceitos associados à gestão da qualidade, ou simplesmente, à gestão pela qualidade total, passaram a significar modelo de gerenciamento que busca a eficiência e a eficácia organizacionais.

Este livro visa permitir a você, leitor, ter uma boa noção da amplitude e da importância dos conceitos atrelados à gestão da qualidade como modelo de excelência para melhor gerir as organizações.

O livro está estruturado em nove capítulos. O primeiro trata da contextualização histórica da temática, abordando os aspectos evolução histórica, conceitos fundamentais do modelo de gestão pela qualidade e contribuições de diversos estudiosos.

O segundo capítulo versa sobre a importância da gestão por processos, sendo abordados aspectos de padronização e melhoria de processos organizacionais, indicadores, modelo *plan, do, check, act* (PDCA). Discorre-se, também, acerca de gerenciamento da melhoria e da rotina, conceitos fundamentais para o atendimento dos modelos de gestão, baseados em normas internacionais na área da qualidade ou, ainda, alinhados com modelos dos prêmios internacionais, como o Prêmio Nacional da Qualidade (PNQ).

O terceiro capítulo aborda uma série de instrumentos para o gerenciamento e o aprimoramento de processos organizacionais que podem ser adotados para atender à gestão de processos, discutida no capítulo anterior.

O quarto focaliza a temática sobre a metodologia seis sigma, assunto este que vem se destacando na literatura por sua importância e atualidade.

O quinto capítulo contempla o modelo de gestão da qualidade, proposto pela ISO, por intermédio das normas da série 9000.

O sexto capítulo apresenta o Modelo de Excelência da Gestão® adotado para avaliar organizações no processo do Prêmio Nacional da Qualidade (PNQ), prêmio este proposto e administrado pela Fundação Nacional da Qualidade.

O sétimo e o oitavo capítulos discutem vários métodos de gestão – clássicos e específicos – que se destacam por sua importância, atualidade e grande utilidade no que tange às necessidades específicas das organizações.

O nono capítulo enfatiza o gerenciamento da qualidade em projetos e como essa gestão deve ser conduzida e implementada na condução de um projeto específico.

Na conclusão, é apresentada uma proposta de metodologia para implantação da gestão de processos e qualidade e são tecidas algumas considerações sobre a temática, com o propósito de ajudar você, leitor, a refletir sobre a importância desse assunto no desenvolvimento e aprimoramento das organizações, bem como no seu desenvolvimento profissional.

Que este livro, leitor, lhe seja útil na construção de uma trajetória de sucesso pessoal e profissional.

1 Contextualização histórica

Caro leitor, este capítulo contempla os elementos que compõem a visão e contextualização histórica da gestão da qualidade.

Serão apresentados conceitos de qualidade, segundo a ótica de vários autores, além da evolução do processo, a inspeção, o controle estatístico, a garantia e a gestão estratégica da qualidade.

Evolução do processo da qualidade

O tema gestão da qualidade é dinâmico, sendo sua evolução fruto da interação dos diversos fatores que compõem a estrutura organizacional e sua administração.

Como você, leitor, pode constatar a partir de sua vivência pessoal e também no ambiente profissional, as mudanças estão presentes como uma rotina, ou seja, não são mais exceções em nosso dia a dia, estão cada vez mais presentes, como o "já esperado", o natural. Inegavelmente a qualidade e seus aspectos de gestão não fogem a esta regra. Estamos vivenciando esse novo ambiente e suas consequências em diversas dimensões, tanto nos aspectos comportamentais como nos de processos.

Qualidade é um conceito espontâneo e intrínseco a qualquer situação; no entanto, sua interpretação e a adequação de técnicas e metodologias devem ser adaptadas ao tipo de "produto" que estamos analisando: processos, requisitos técnicos, serviços ou atendimento, design de um produto ou concepção de um sistema de gestão. Como você, leitor, pode perceber, há situações diversas, e a adequação talvez seja a palavra-chave no repertório que pessoas e organizações devem possuir para de fato lidar com a gestão de processos e da qualidade.

Estamos frequentemente avaliando e sendo avaliados no ato de gerarmos ou recebermos os elementos que compõem a interação e os atos de consumo presentes em nossa vida.

Como conceito, qualidade é conhecida há milênios. No entanto, só recentemente ela surgiu como função da gerência.

Originalmente, tal função era relativa e voltada para a inspeção; hoje, as atividades relacionadas com a qualidade se ampliaram e são consideradas essenciais para o sucesso estratégico (Garvin, 2002). Isso leva a uma percepção dinâmica e ampliada da qualidade, sinalizando a integração com diversas outras áreas do conhecimento humano, em função do tipo de produto gerado e das expectativas, exigências e maturidade dos clientes e consumidores, em sintonia com os interesses mercadológicos estabelecidos.

A ampliação da abrangência da qualidade nas atividades organizacionais pode também ser percebida em responsabilidades que se agregaram à área, como qualidade ambiental e qualidade de vida, ética e valores, hoje imprescindíveis e objetos de regulamentações nacionais e internacionais e de normas diversas, mostrando a crescente conscientização da sociedade, que impõe demandas e exerce pressões complementares.

Há várias classificações para os diversos períodos ou eras da qualidade. Garvin (2002) estruturou-as em um formato bem-aceito pelos especialistas da área. Cada uma das classificações tem suas peculiaridades e aqui serão adotadas como referencial para descrição da história e evolução do pensamento da qualidade. São elas:

- inspeção;
- controle estatístico da qualidade;
- garantia da qualidade;
- gestão estratégica da qualidade.

Inspeção

Nos primórdios da era industrial e até meados do século XIX, quase tudo era fabricado por artesãos, que ainda praticavam os procedimentos tradicionais e históricos. As quantidades produzidas eram pequenas e havia participação do trabalhador em praticamente todas as fases do processo. A inspeção era implementada segundo critérios especificados pelo próprio artesão e sua pequena equipe de colaboradores. Era um procedimento natural e corriqueiro.

A inspeção formal só passou a ser necessária com o surgimento da produção em massa e a necessidade de peças intercambiáveis (Garvin, 2002).

No início do século XX, Frederick W. Taylor, conhecido como o criador da administração científica, atribuiu maior legitimidade à atividade de inspeção, separando-a do processo de fabricação e atribuindo-a a profissionais especializados (Taylor, 1919).

As atividades de inspeção se transformaram rapidamente em um processo independente e associado ao controle da qualidade. Em 1922, com a publicação da obra *The control of quality in manufacturing* (Radford, 1922), a qualidade foi vista, pela primeira vez, como responsabilidade gerencial distinta e como função independente. O livro tratou de muitos princípios considerados centrais no moderno controle da qualidade: a necessidade de conseguir a participação dos projetistas logo no início das atividades associadas à qualidade e a associação da melhoria da qualidade com maior produção e custos mais baixos. Seu enfoque principal era, entretanto, a inspeção.

A inspeção em todo o lote de produção se manteve inalterada durante muitos anos, apesar da necessidade e da aplicação, em diversos momentos, de inspeções parciais ou por amostragem, mas sem metodologia estruturada nem procedimentos confiáveis. Pode-se dizer que a abordagem da qualidade era excessivamente defensiva, tendo em vista que consistia no simples ato de separação dos produtos "bons" e "defeituosos". Não se buscava encontrar as causas dos problemas e defeitos. Esperava-se que, se viessem a ocorrer, seriam então eliminados.

O controle da qualidade limitava-se à inspeção e às atividades restritas, como a contagem, a classificação pela qualidade e os reparos. A solução de problemas era vista como fora das responsabilidades do departamento de inspeção. A mudança nesse enfoque e um novo paradigma surgiram com as pesquisas realizadas nos laboratórios Bell Telephone. O resultado foi o que hoje é denominado controle estatístico de processo para a melhoria da qualidade. Desse grupo, fizeram parte grandes nomes da qualidade, que criaram a disciplina conhecida como controle estatístico da qualidade: Walter Shewhart, Harold Dodge, Harry Romig, W. Edwards Deming e Joseph M. Juran (Garvin, 2002).

Controle estatístico da qualidade

Um marco dessa nova era foi a publicação, em 1931, da obra *Economic control of quality of manufactured product* (Shewhart, 1931), que conferiu um caráter científico à prática da busca da qualidade. Nessa obra, encontram-se os fundamentos, os procedimentos e as técnicas para tornar a qualidade mais efetiva na produção, em todos os seus estágios. É nesse contexto que se verifica o controle da qualidade no processo produtivo, via procedimentos estatísticos.

Controle de processo

Foi o próprio Shewhart quem reconheceu que a variabilidade era um fato concreto dentro da indústria e que deveria ser entendida por meio de princípios de probabilidade e estatística. O problema não era a existência de uma variação, já que esta era inevitável, mas de uma análise de flutuações aceitáveis. O controle de processo foi o fundamento para o desenvolvimento das técnicas de controle estatístico da qualidade. Ao estruturar, organizadamente, as etapas que compõem a realização de um trabalho ou tarefa, incluindo seu fluxo, seus insumos, suas atividades realizadas e seus produtos gerados, é possível obter muitas informações sistematizadas e perceber pontos críticos, oportunidades de melhoria e, principalmente, as variações ou flutuações devidas a causas normais (intrínsecas à natureza do processo) e as devidas a causas anormais ou especiais. O gráfico de controle do processo, ou carta de controle, que será apresentado no capítulo 3, é o instrumento mais simples para documentar e analisar a ocorrência desses eventos e, a partir daí, implementar mudanças e assegurar os padrões de qualidade desejados, monitorando os resultados e a estabilidade do processo.

Amostragem

Por motivos técnicos, econômicos, de prazo ou até quantitativos, realizar inspeções completas em todos os produtos fabricados é impraticável. Assim, a amostragem é utilizada. No entanto, seu uso sistemático somente começou a apresentar resultados mais confiáveis quando os métodos estatísticos e os procedimentos associados amadureceram suficientemente.

A inclusão das técnicas de amostragem propiciou um grande avanço nos processos da qualidade, promovendo a rápida disseminação de cursos e a evolução dos procedimentos, visando a aplicações cada vez mais confiáveis.

A quantidade de profissionais da qualidade treinados nessas técnicas estimulou a formação de sociedades de engenheiros da qualidade. Em 1946, foi fundada, nos Estados Unidos, a American Society for Quality Control (ASQC, hoje chamada ASQ) e, no Japão, a Japanese Union of Scientists and Engineers (Juse), com o objetivo de desenvolver e disseminar práticas e métodos na área da qualidade. Uma das primeiras iniciativas da Juse foi formar o grupo de pesquisa de controle da qualidade, cujos principais membros foram: Shigeru Mizuno, Kaoru Ishikawa e Tetsuichi Asaka, que lideraram o controle da qualidade japonês, organizando os primeiros Círculos de Controle da Qualidade (CCQ).

Garantia da qualidade

Por volta do final da II Guerra Mundial, a qualidade já conquistara seu lugar e passou a ser uma disciplina bem-aceita no ambiente organizacional, com técnicas específicas e resultados efetivos, com profissionais qualificados e bem caracterizados na especialidade.

Em 1950, W. Edwards Deming, estatístico especialista em qualidade, foi ao Japão, a convite da Juse, proferir palestras para líderes industriais, tendo em vista a preocupação em reconstruir aquele país, conquistar novos mercados e melhorar a reputação dos produtos japoneses. A contribuição de Deming foi tão expressiva para o processo da qualidade japonês que, em 1951, foi criado, em sua homenagem, o prêmio Deming, que introduziu o conceito de que a redução dos níveis de variação da qualidade pode ocorrer se estes forem geridos por meio de controle estatístico.

Em 1954, Joseph M. Juran visitou o Japão, introduzindo uma nova era no controle da qualidade. Ele liderou a passagem de uma fase, na qual as atividades relativas à qualidade baseavam-se nos aspectos tecnológicos das fábricas, para outra, nova, em que a preocupação com a qualidade passou a ser global e holística, abarcando todos os aspectos do gerenciamento e toda a organização.

Na segunda metade da década de 1950, o *Total Quality Control* (TQC) ganhou fama, tornando mais amplo o conceito da qualidade. Basicamente, o TQC consiste em (Shiba, Graham e Walden, 1997):

- abordar a qualidade desde a fase do projeto de desenvolvimento do produto, incluindo os aspectos funcionais e atributos de desempenho;
- envolver todos os funcionários, de todos os níveis hierárquicos, assim como fornecedores e clientes, nos processos de melhoria da qualidade, objetivando o comprometimento e a confiança recíproca;
- manter e aperfeiçoar as técnicas clássicas da qualidade existentes.

O TQC requer que todos os colaboradores, do presidente aos operários horistas, dos fornecedores aos clientes, e também a comunidade, participem das atividades de melhoria da qualidade.

Para os japoneses, há também o *Total Quality Management* (TQM), uma abordagem gerencial baseada na participação de todos, dirigida para a satisfação do consumidor, dos membros da organização e da sociedade.

A partir dos anos 1970, a qualidade dos produtos japoneses, principalmente a dos automóveis e a dos televisores, começou a superar a dos produtos norte-americanos (Gitlow, 1993). Os consumidores tornaram-se mais exigentes na hora da compra e mais preocupados com preço e qualidade.

Os instrumentos na profissão se expandiram para muito além da estatística. Quatro elementos distintos passaram a fazer parte dessa nova era: quantificação dos custos da qualidade, controle total da qualidade, engenharia da confiabilidade e zero defeito (Garvin, 2002). Cada um desses elementos será discriminado a seguir.

Custos da qualidade

Por volta do início da década de 1950, houve muito debate sobre o real significado da qualidade, bem como sobre qual era seu nível suficiente. O que tornava esse debate ainda mais impreciso era o fato de não haver quantificações estruturadas, nem mesmo estimativas, em muitos casos, dos custos reais envolvidos nos processos que constituíam a qualidade.

Em 1951, Joseph Juran abordou esse tema no livro que se tornou um dos grandes referenciais da qualidade: *Quality control handbook*.

Os elementos que compunham os investimentos necessários para se ter qualidade – classificados por categorias e processos envolvidos, desde o projeto até as fases finais do ciclo de vida de um produto, incluindo assistência técnica e descarte – evoluíram em diversas abordagens. De modo semelhante, tornou-se prática usual analisar os elementos que participam dos custos da não qualidade, ou seja, as consequências em perdas quantificadas, como retrabalho, refugo, devoluções, manutenção, vendas, imagem, entre outros, que podem comprometer sensivelmente o desempenho de uma organização.

Controle total da qualidade

O conceito do controle total da qualidade surge, pela primeira vez, no final da década de 1950 e se baseia na premissa de que a qualidade deve se estender bem além da simples qualidade do produto para alcançar a qualidade em todos os processos e atividades organizacionais por meio do comprometimento de todos na empresa. O autor que mais enfaticamente assinalou esse princípio foi Armand Feigenbaum, ao afirmar que, se o departamento de fabricação e os de controle da qualidade tivessem de operar isoladamente do contexto organizacional, seria bem menor a probabilidade de os produtos gerados atenderem aos requisitos cada vez mais rigorosos demandados pelo mercado.

Afirma Feigenbaum (1961:94):

> O princípio em que se assenta esta visão da qualidade total [...] é que, para se conseguir uma verdadeira eficácia, o controle precisa começar pelo projeto do produto e só terminar quando o produto tiver chegado às mãos de um freguês que fique satisfeito [...] O primeiro princípio a ser reconhecido é o de que qualidade é um trabalho de todos.

A qualidade total, por meio de suas diversas terminologias, foi uma percepção importante e ampliou o escopo de atuação da qualidade no ambiente organizacional. Todos os departamentos passaram a ser responsáveis pelo sucesso do empreendimento, enquanto a alta administração assumia a liderança e a responsabilidade final, orquestrando a integração entre as diversas áreas e, mais ainda, gerando sinergia entre as competências funcionais, visando à ampliação do conceito da qualidade, tal como se viu ocorrer nas décadas seguintes: uma abordagem mais holística, integrando produção de bens, serviços, marketing, recursos humanos, meio ambiente, qualidade de vida e, mais recentemente, ética e responsabilidade social.

Engenharia da confiabilidade

O controle estatístico de processo para melhoria da qualidade tornou-se, na década de 1950, uma prática corriqueira nas grandes organizações, e seu contínuo aperfeiçoamento gerou cada vez mais confiança no uso da estatística em processos de produção em escala.

No entanto ainda havia um grande problema não resolvido: o de como lidar com a qualidade e as expectativas de funcionamento de componentes e equipamentos no ciclo de operação. Em outras palavras, o controle estatístico de processo funcionava muito bem dentro dos limites da fábrica, mas pouco se conhecia quanto à pós-fabricação e ao uso, exceto pelos problemas relatados e resolvidos de forma usualmente reativa. O principal objetivo da engenharia da confiabilidade era o de garantir um desempenho aceitável do produto ao longo do tempo. Confiabilidade era usada no sentido de probabilidade de um produto desempenhar uma função específica sem falhas durante certo tempo e sob condições preestabelecidas.

Garvin (2002:17) esclarece:

> Em 1950, o Departamento de Defesa norte-americano criou um grupo Ad Hoc de confiabilidade de equipamentos eletrônicos e, em 1957, foi publicado um grande relatório sobre o assunto. Este relatório acabou levando a inúmeras especificações militares que estabeleciam os requisitos de um programa formal de confiabilidade. Esses esforços foram estimulados pela queda da confiabilidade dos componentes e sistemas militares. Em 1950, apenas a terça parte dos dispositivos eletrônicos da Marinha

estava funcionando adequadamente. Um estudo feito na época, pela Rand Corporation, estimou que cada tubo de vácuo que os militares tinham funcionando era acompanhado de outros nove no depósito ou já encomendados. Havia problemas da mesma gravidade com mísseis e outros equipamentos aeroespaciais.

A partir desses enfoques, ocorreram esforços sistemáticos e foram criados procedimentos baseados, em sua maioria, em análises estatísticas, que tornaram mais confiáveis as estimativas de tempo de operação de componentes e equipamentos, permitindo maior segurança operacional e alocação de recursos. Em suma, a qualidade expandiu-se para os domínios de uso pelo cliente.

Zero defeito

Zero defeito foi o último movimento importante da era da garantia da qualidade. Juntamente com a engenharia da confiabilidade, o controle e os custos da qualidade ajudaram a expandir as fronteiras dessa área do conhecimento. Atividades de projeto, engenharia, planejamento e serviços passaram a ser tão importantes quanto a estatística e o controle da produção. Eram necessárias novas habilidades gerenciais, especialmente na área de relações humanas. A coordenação entre as funções tornou-se uma preocupação fundamental, e os profissionais da área da qualidade desviaram sua atenção para o delineamento de programas, a determinação de padrões e o acompanhamento das atividades de outros departamentos.

A ideia do zero defeito nasceu entre 1961-62 na Martin Corporation, fabricante de mísseis para o Exército, e na Marinha, ambas norte-americanas. A exigência de se produzir um comando de mísseis num curto espaço de tempo e com perfeição levou a gerência a buscar uma grande mobilização, solicitando a todos o compromisso de se fazer certo na primeira vez. Antes disso, a qualidade considerada satisfatória somente era conseguida por meio de uma maciça inspeção. Em 12 de dezembro de 1961, a partir de um plano elaborado para baixar drasticamente os índices de defeito e os prazos de fabricação, finalmente houve a entrega de um míssil Pershing sem discrepância alguma (Garvin, 2002).

Esse evento caracterizou os passos iniciais da metodologia que ficou conhecida como zero defeito. Philip Crosby, que efetivamente desenvolveu sua estruturação e suas primeiras implementações, trabalhava, na época, na Martin Corporation. Na realidade, o princípio por trás do zero defeito é "fazer certo na primeira vez", e seus pilares são a filosofia de trabalho e seus processos, a motivação e a conscientização.

Gestão estratégica da qualidade

Especialmente nas duas últimas décadas do século XX, a qualidade passou efetivamente a ser percebida como uma disciplina de cunho estratégico, além do seu viés tradicionalmente técnico. Os princípios da Gestão pela Qualidade Total (GQT), disseminados a partir de 1950, foram, enfim, assimilados pela maioria das organizações. A qualidade passou a ser discutida na agenda estratégica do negócio, e o mercado passou a valorizar quem a possuía e a punir as organizações hesitantes ou focadas apenas nos processos clássicos de controle da qualidade.

As legislações de defesa do consumidor, além de normas internacionais amplas e aplicáveis na cadeia de interação cliente/fornecedor, como a família ISO 9000, transformaram definitivamente o escopo da qualidade, consolidando-a em todos os pontos dos negócios.

A essência da abordagem estratégica da qualidade foi resumida de modo muito simples em um relatório da Sociedade Americana de Controle da Qualidade (Hagan, 1984):

- não são os fornecedores do produto, mas aqueles para quem eles servem – os clientes, usuários e aqueles que os influenciam ou representam – que têm a última palavra quanto a até que ponto um produto atende às suas necessidades e satisfaz suas expectativas;
- a satisfação relaciona-se com o que a concorrência oferece;
- a satisfação, relacionada com o que a concorrência oferece, é conseguida durante a vida útil do produto, e não apenas na ocasião da compra;
- é preciso um conjunto de atributos para proporcionar o máximo de satisfação àqueles a quem o produto atende.

A qualidade nos dias de hoje

Hoje, caro leitor, qualidade é um termo que passou a fazer parte do jargão das organizações, independentemente do ramo de atividade e da abrangência de atuação, pública ou privada.

A principal diferença entre a abordagem do início do século XX e a atual é que a qualidade, agora, está relacionada às necessidades e aos anseios dos clientes. Seja qual for o porte da empresa, observam-se programas de qualidade e de melhoria de processos na maioria dos setores econômicos. Não importa fazer o melhor produto com os melhores processos se o que se faz não vai ao encontro do consumidor, razão de ser de todos os processos organizacionais.

A similaridade funcional, e até mesmo de desempenho, dos produtos e bens de consumo é cada vez maior. Por isso, é preciso estar bastante sintonizado com os colaboradores, pois a qualidade, hoje, está muito mais associada à percepção de excelência nos serviços. E, quando falamos em serviços, estamos falando basicamente de pessoas. O elemento humano e sua qualidade representam o grande diferencial contemporâneo. Assim, prover treinamento adequado, por exemplo, pode significar o êxito do empreendimento.

A seguir, serão apresentados alguns conceitos da qualidade, as principais linhas de pensamento e alguns autores, a fim de familiarizar você, leitor, com a temática gestão de processos e qualidade.

Conceitos básicos e principais linhas de pensamento

Fundamentos

Há uma grande variedade de conceitos e definições da qualidade na literatura especializada e em áreas afins. Segundo Garvin (2002:48), "existem cinco abordagens principais para a definição de qualidade: transcendental, baseada no produto, baseada no usuário, baseada na produção e baseada no valor".

- Transcendental

  Uma condição de excelência que implica ótima qualidade, distinta de má qualidade [Garvin, 2002].

  Qualidade é atingir ou buscar o padrão mais alto em vez de se contentar com o malfeito ou fraudulento [Tuchman, 1980].

  Qualidade não é uma ideia ou uma coisa concreta, mas uma terceira entidade independente das duas... embora não se possa definir qualidade, sabe-se o que ela é [Pirsig, 1974].

- Baseada no produto

  Diferenças de qualidade correspondem a diferenças de quantidade de algum ingrediente ou atributo desejado [Abbott, 1955].

  Qualidade refere-se às quantidades de atributos sem preço presentes em cada unidade do atributo com preço [Leffler, 1982].

- Baseada no usuário

Qualidade consiste na capacidade de satisfazer desejos [Edwards, 1968].

Na análise final de mercado, a qualidade de um produto depende de até que ponto ele se ajusta aos padrões das preferências do consumidor [Kuehn e Day, 1962].

Qualidade é adequação ao uso [Juran, 1994].

- Baseada na produção

Qualidade [quer dizer] conformidade com as exigências [Crosby, 1979].

Qualidade é o grau em que o produto específico está de acordo com o projeto ou especificação [Gilmore, 1974].

- Baseada no valor

Qualidade é o grau de excelência a um preço aceitável e o controle da variabilidade a um custo aceitável [Broh, 1982].

Qualidade quer dizer o melhor para certas condições do cliente. Essas condições são: a) o verdadeiro uso; e b) o preço de venda do produto [Feigenbaum, 1961].

Outras definições podem ser enquadradas nas citadas, a partir de seus aspectos preponderantes, mas, eventualmente, é possível perceber algum conflito entre elas. Dependendo da área considerada – marketing, vendas, produção –, uma ou outra definição aplica-se melhor. O caminho mais seguro para definir qualidade em uma empresa é sua política da qualidade, que pode incluir mais de uma das abordagens indicadas.

O conceito de qualidade pode ser desdobrado em elementos básicos, como os elencados a seguir (Garvin, 2002:59-60):

- *desempenho*: refere-se às características operacionais básicas do produto;

- *características*: são as funções secundárias do produto, que suplementam seu funcionamento básico;
- *confiabilidade*: reflete a probabilidade de mau funcionamento de um produto;
- *conformidade*: refere-se ao grau em que o projeto e as características operacionais de um produto estão de acordo com padrões preestabelecidos;
- *durabilidade*: refere-se à vida útil de um produto, considerando suas dimensões econômicas e técnicas;
- *atendimento*: refere-se à rapidez, cortesia, facilidade de reparo ou substituição;
- *estética*: refere-se ao julgamento pessoal e ao reflexo das preferências individuais;
- *qualidade percebida*: refere-se à opinião subjetiva do usuário acerca do produto.

Principais linhas de pensamento

Iremos agora, caro leitor, conhecer as principais linhas de pensamento na gestão de processos e qualidade, através da sistematização conceitual e instrumental proposta e implementada por alguns dos especialistas mais reconhecidos nessas áreas do conhecimento.

Juran e Deming foram os dois principais responsáveis pelo movimento da qualidade no Japão. Os japoneses os consideram como os inspiradores do milagre industrial de seu país, iniciado na década de 1950. Os norte-americanos só lhes deram o devido valor nos anos 1980.

No entanto, seria injusto associar o movimento a apenas essas duas pessoas. Do lado norte-americano, Philip Crosby contribuiu com sua teoria do zero defeito e Armand Feigenbaum foi o grande impulsionador do conceito de controle da qualidade total. Do lado japonês, Kaoru Ishikawa e Genichi Taguchi são dois nomes importantes. Ishikawa foi o responsável pela adaptação da cultura japonesa aos ensinamentos de Deming e Juran. Foi ainda o grande inspirador dos Círculos de Controle da Qualidade (CCQ). Taguchi deu forte impulso à promoção do design industrial, que marcou a segunda onda do movimento da qualidade no Japão, após a primeira fase, assentada no controle estatístico. A seguir, algumas considerações sobre os principais estudiosos da temática.

W. Edwards Deming

As ideias de Deming nortearam o conhecimento a respeito da qualidade. Uma das principais é a constância de propósitos, que serve como um agente libertador do poder de motivação, criando, em todos os colaboradores, satisfação, orgulho e felicidade no trabalho e no aprendizado. Os atributos de liderança, obtenção do conhecimento, aplicação de metodologias estatísticas, compreensão e utilização das fontes de variação e perpetuação do ciclo de melhoria contínua da qualidade estão no âmago da filosofia de Deming. Os 14 pontos para gestão descrevem o caminho para a qualidade total, o qual deve ser continuamente aperfeiçoado. São eles (Deming, 1990:18):

- *ponto 1*: criar uma constância de propósitos de aperfeiçoamento do produto e do serviço, a fim de torná-los competitivos, perpetuá-los no mercado e gerar empregos;
- *ponto 2*: adotar a nova filosofia. Vivemos numa nova era econômica. A administração ocidental deve despertar para o desafio, conscientizar-se de suas responsabilidades e assumir a liderança em direção à transformação;
- *ponto 3*: acabar com a dependência de inspeção para a obtenção da qualidade. Eliminar a necessidade da inspeção em massa, priorizando a internalização da qualidade do produto;

- *ponto 4*: acabar com a prática de negócio compensador baseado apenas no preço. Em vez disso, minimizar o custo total. Insistir na ideia de um único fornecedor para cada item, desenvolvendo relacionamentos duradouros, calcados na qualidade e na confiança;
- *ponto 5*: aperfeiçoar constante e continuamente todo o processo de planejamento, produção e serviço, com o objetivo de aumentar a qualidade e a produtividade e, consequentemente, reduzir os custos;
- *ponto 6*: fornecer treinamento no local de trabalho;
- *ponto 7*: adotar e estabelecer liderança. O objetivo da liderança é ajudar as pessoas a realizar um trabalho melhor. Assim como a liderança dos trabalhadores, a liderança empresarial necessita de uma completa reformulação;
- *ponto 8*: eliminar o medo;
- *ponto 9*: quebrar barreiras entre departamentos. Os colaboradores dos setores de pesquisa, projetos, vendas, compras ou produção devem trabalhar em equipe, tornando-se capazes de antecipar problemas que possam surgir durante a produção ou durante a utilização dos produtos ou serviços;
- *ponto 10*: eliminar slogans, exortações e metas dirigidas aos empregados;
- *ponto 11*: eliminar padrões artificiais (cotas numéricas) para o chão de fábrica, a administração por objetivos (APO) e a administração por meio de números e metas numéricas;
- *ponto 12*: remover barreiras que despojem as pessoas de orgulho no trabalho. A atenção dos supervisores deve se voltar para a qualidade e não para números. Remover as barreiras, que usurpam dos colaboradores das áreas administrativas e de planejamento e engenharia o justo direito de orgulhar-se do produto de seu trabalho. Isso significa a abolição das avaliações de desempenho ou de mérito e da administração por objetivos ou por números;

- ❑ *ponto 13*: estabelecer um programa rigoroso de educação e autoaperfeiçoamento para todo o pessoal;
- ❑ *ponto 14*: colocar todos da empresa para trabalhar de modo a realizar a transformação. A transformação é tarefa de todos.

A qualidade é definida de acordo com as exigências e as necessidades do consumidor. Como estas estão em permanente mudança, as especificações da qualidade devem ser alteradas frequentemente. No entanto, Deming (1990) considerava não ser suficiente cumprir apenas as especificações, afirmando ser preciso utilizar os instrumentos de controle estatístico da qualidade, em vez da mera inspeção dos produtos. Ele recomenda, igualmente, a seleção criteriosa dos fornecedores que trabalham para a empresa.

Deming (1990) criticava o sistema empresarial norte-americano por não adotar a participação dos trabalhadores no processo de decisão. Argumentava que os gestores eram responsáveis pela maior parte dos problemas da qualidade, e que seu principal papel era o de remover as barreiras que impediam a realização de um bom trabalho. Atualmente, a participação dos colaboradores é uma prática muito usual, e, podemos até dizer, integrante do paradigma de gestão organizacional.

Joseph M. Juran

Joseph Juran foi o primeiro a aplicar os conceitos da qualidade à estratégia empresarial, em vez de meramente associá-la à estatística ou aos métodos de controle total da qualidade.

Segundo Juran (2009), a gestão da qualidade divide-se em três pontos fundamentais, denominados trilogia Juran: planejamento, controle e melhoria. Para ele, os processos de negócio são a maior e a mais negligenciada oportunidade de melhoria. Uma parcela expressiva dos problemas de qualidade é causada por processos de gestão. Juran considera a melhoria da qualidade a principal prioridade do gestor, e o planejamento, a segunda, esforço que deve contar com a participação das pessoas que irão implementá-lo. Na opinião do autor, separar planejamento e execução é uma noção obsoleta, que remonta aos tempos de Taylor. A terceira prioridade consiste em promover o controle da qualidade. Juran aconselha sua delegação aos níveis operacionais da empresa. Devido à crescente qualificação dos trabalhadores, ele acredita em equipes autogerenciadas.

Armand Vallin Feigenbaum

Feigenbaum foi um dos formuladores do conceito de "controle da qualidade total" (*Total Quality Control* – TQC). De acordo esta abordagem (Feigenbaum, 1961), qualidade é um instrumento estratégico pelo qual todos os trabalhadores devem ser responsáveis. Mais do que uma técnica de eliminação de defeitos nas operações industriais, qualidade é uma filosofia de gestão e um compromisso com a excelência. Volta-se para fora da empresa e tem por base a orientação para o cliente.

A premissa básica do TQC é que a qualidade está ligada a todas as funções e atividades da organização e não apenas à fabricação e à engenharia. Feigenbaum é reconhecido como pioneiro no estudo dos custos da qualidade.

O comprometimento positivo com a qualidade é fundamental para os programas de TQC. As formas de se desenvolver e atingir esse comprometimento dependem da cultura, da história, da política, dos recursos e da personalidade da empresa. Mas é fundamental que o comprometimento ocorra a partir da direção.

Philip B. Crosby

Philip Crosby está associado aos conceitos de "zero defeito" e de "fazer certo na primeira vez". Para Crosby (1979), qualidade significa conformidade com especificações, que, por sua vez, variam de acordo com as necessidades dos clientes. O objetivo é produzir atendendo às especificações, o que encoraja as pessoas a melhorarem continuamente. Ele acredita que zero defeito não é apenas um slogan, mas um padrão de desempenho.

Afirma, também, que os responsáveis pela falta de qualidade são os gestores, e não os trabalhadores. As iniciativas voltadas para a qualidade devem vir de cima para baixo, ser ensinadas através do exemplo. Isso exige o empenho da alta administração e a formação dos empregados em técnicas de melhoria da qualidade. A criação de um grupo estratégico de especialistas da qualidade nas empresas é um dos elementos de seu modelo.

Crosby considera as técnicas não preventivas, como inspeção, teste e controle da qualidade, pouco eficazes. Como alternativa, recomenda a prevenção. Tal como Deming, Crosby (1994) também define 14 passos para a melhoria da qualidade, como veremos a seguir, os quais são encarados como um processo e não como um programa, e devem ser perseguidos de modo permanente:

- *passo 1*: comprometimento com a qualidade (empenho da direção);
- *passo 2*: grupo de melhoria da qualidade;
- *passo 3*: mensuração (estabelecer padrões);
- *passo 4*: custos da qualidade;
- *passo 5*: consciência;
- *passo 6*: ação corretiva;
- *passo 7*: planejamento "zero defeito";
- *passo 8*: educação do empregado;
- *passo 9*: dia do zero defeito;
- *passo 10*: estabelecimento de objetivo;
- *passo 11*: remoção da causa do erro;

- *passo 12*: identificação;
- *passo 13*: conselhos da qualidade;
- *passo 14*: fazer tudo de novo.

A base filosófica para a cultura da qualidade desejada é delineada pelos quatro princípios de gestão da qualidade:

- a qualidade é definida como conformidade aos requisitos;
- sistema que leva à qualidade é a prevenção;
- padrão de execução é o zero defeito;
- a medida da qualidade é o preço da não conformidade.

Outros estudiosos

Kaoru Ishikawa, conhecido como o pai do TQC japonês, enfatizou os aspectos humanos e a implementação dos Círculos de Controle da Qualidade (CCQ). Para Ishikawa (1985), cada elemento da empresa tem de estudar, praticar e participar do controle da qualidade. O TQC enseja que, com a participação de todos os colaboradores, incluindo o presidente, qualquer empresa ofereça produtos ou serviços melhores a um custo mais baixo, aumente as vendas, melhore os lucros e se transforme em uma organização melhor.

Já para Masaaki Imai, o melhoramento contínuo depende de uma profunda transformação na mentalidade, na filosofia, nos métodos e nos objetivos das empresas. Segundo Imai (1994), o melhoramento contínuo é a chave do sucesso competitivo japonês.

A filosofia de Genichi Taguchi, por seu turno, abrange todo o ciclo de produção, desde o design até a transformação em produto acabado. Taguchi (1990) define a qualidade em função das perdas geradas pelo produto para a sociedade. Essas perdas podem ser estimadas em função do tempo, que compreende a fase de expedição de um produto até o final de sua vida útil. Para Taguchi, a chave para reduzir as perdas não está na conformidade com as especificações, mas na redução da variabilidade estatística em relação aos objetivos fixados. A qualidade e o custo de um produto são determinados, em grande medida, por seu design e por seu processo de fabricação.

Neste capítulo, foi abordada a contextualização histórica da gestão da qualidade, apresentando minuciosos aspectos que envolvem os conceitos básicos e linhas de pensamento de diversos estudiosos do assunto. Observamos que a cada novo estágio na evolução da qualidade, a gerência apresenta uma atitude mais preventiva na melhoria da qualidade. Além de ser mais eficiente, uma abordagem que busca antecipar-se aos erros é muito mais simples e menos custosa. Isso decorre do fato de que a maioria das falhas tem causas comuns e tende a se multiplicar. Dessa forma, um programa eficaz de melhoria da qualidade pressupõe que pessoas responsáveis busquem gerenciar todo o processo, desde o projeto até os serviços pós-venda. Outro ponto que merece destaque é a questão da responsabilidade pela qualidade. À medida que os programas evoluem, tendem a atribuir a responsabilidade a todas as áreas e passam a dar um destaque especial ao compromisso da alta gerência.

No próximo capítulo, apresentaremos uma análise acerca da gestão por processos, incluindo definição e identificação de processos, indicadores de gestão, padronização e melhoria.

2 Gestão por processos

Neste capítulo será abordada a gestão por processos, com enfoque na sua definição e identificação, nos indicadores de gestão e em sua padronização e melhoria.

No que tange a métodos tradicionais de padronização e melhoria, serão apresentados, como exemplos, a trilogia Juran, o ciclo PDCA, o gerenciamento da melhoria e da rotina e o ciclo PDCA na análise de problemas.

Definição e identificação de processos

Se você é gestor de uma organização, com certeza é responsável por um ou mais processos. Sem nos darmos conta, estamos cercados por processos, seja na organização em que trabalhamos, seja no nosso dia a dia. Desde o momento em que acordamos para trabalhar até o final do nosso dia, estaremos presenciando e participando de vários processos. De forma bem simples, podemos dizer que processo é a transformação, com agregação de valor, de recursos em alguma coisa esperada. Maranhão e Macieira (2004:12) chamam nossa atenção para o fato de que

> com um pouco de imaginação podemos identificar em cada processo a presença de três agentes: a entrada, matéria-prima ou insumo – aquilo que vai ser transformado em outra coisa; a transformação em si; o resultado da transformação, que chamamos de produto ou de saída.

Se formos responsáveis por um ou mais processos, precisaremos conhecê-los bem para podermos gerenciá-los e melhorá-los. E o nosso comprometimento como gestores de processos é de fundamental importância para o sucesso de nossas organizações. Não é por outra razão que os modelos de referência, como as normas da família Norma Brasileira (NBR) da ISO 9000 e do Modelo de Excelência da Gestão® (MEG), adotado pelo Prêmio Nacional da Qualidade (PNQ), dos quais você, leitor, terá conhecimento nos próximos capítulos, registram forte destaque para os processos. Nesses modelos, existem os chamados princípios de gestão da qualidade (ISO 9000) ou os fundamentos da excelência do MEG, onde aparecem, como alicerces dos modelos, a abordagem por processos e a orientação por processos.

Os dois modelos de referência citados, ISO 9000 e MEG, apresentam a mesma definição para processo: "conjunto de atividades inter-relacionadas ou interativas que transformam insumos (entradas) em produtos (saídas)" (ABNT, 2005:10; FNQ, 2011:96). A ISO 9000 diz mais; afirma que "uma organização, para funcionar de forma eficaz, precisa identificar e gerenciar os processos [...]".

Os autores que tratam do assunto apresentam definições para o termo processo com pequenas variações, mas que se assemelham àquela citada no parágrafo anterior.

A figura 1 apresenta a representação gráfica da definição de processo.

Figura 1

REPRESENTAÇÃO GRÁFICA DA DEFINIÇÃO DE UM PROCESSO

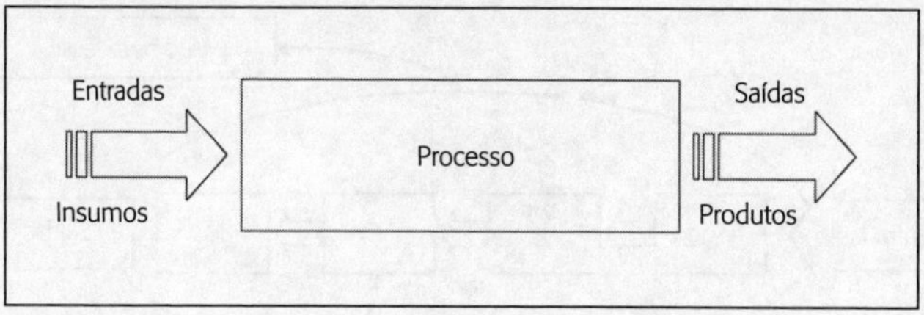

Processos estão presentes em qualquer tipo de organização e são a base da forma de conduzi-la e melhorá-la. Quando nos referimos a uma organização, estamos considerando, segundo o PNQ (FNQ, 2011:95), uma

> companhia, corporação, firma, órgão, instituição, empresa ou uma unidade dessas; sociedade anônima, limitada ou com outra forma estatutária, que tem funções e estruturas administrativas próprias ou autônomas, no setor público ou privado, com ou sem finalidade de lucro, de portes pequeno, médio ou grande.

Já a norma ISO 9000 apresenta a seguinte definição para organização: "grupo de instalações e pessoas com um conjunto de responsabilidades, autoridades e relações" (ABNT, 2005:9).

Por questões práticas e para melhor entender o conjunto de processos existentes em uma organização, é comum classificá-los em macroprocessos (os mais abrangentes ou maiores), processos e subprocessos, sendo o subprocesso uma subdivisão do processo, e este, do macroprocesso (Maranhão e Macieira, 2004). A figura 2 ilustra tal classificação.

Figura 2

CLASSIFICAÇÃO DE PROCESSOS

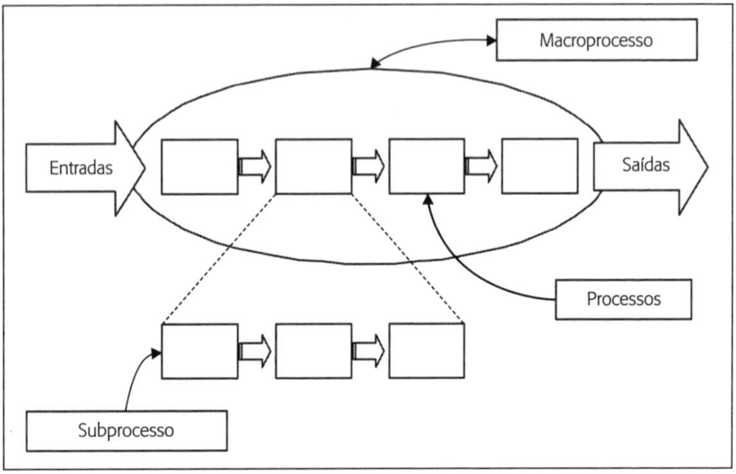

Fonte: Adaptada de Maranhão e Macieira (2004).

Segundo os critérios de excelência do PNQ, os processos podem ser classificados conforme apresentado no quadro 1.

Quadro 1

CLASSIFICAÇÃO DOS PROCESSOS

Classificação	**Definição**
Processos principais do negócio	Processos que, com suas operações, agregam valor diretamente para os clientes. Estão envolvidos na geração do produto e na sua venda e transferência para o cliente, bem como na assistência após a venda e na disposição final. Nota: os processos principais dos negócios são também conhecidos como processos-fim, processos primários ou processos finalísticos.
Processos de apoio	Processos que sustentam, com suas operações, os processos principais do negócio e a si mesmos, fornecendo bens e serviços.
Processo gerencial (ou processo de gestão)	Processo de natureza gerencial, não operacional.

Fonte: Adaptado de FNQ (2011).

Ainda para melhor entendimento dos processos, precisamos conhecer seus limites. Não é tarefa simples, porque quem vai estabelecer onde começa e onde termina um processo é quem o está definindo; como também vai definir até que ponto os macroprocessos serão subdivididos em processos, estes em subprocessos, estes em atividades e estas em tarefas. É preciso ter claro o objetivo da análise, para não se despenderem esforços desnecessários, com detalhamentos que em nada contribuirão para o conhecimento dos processos. A análise objetiva definir os processos? Ou identificá-los? Ou, ainda, busca a melhoria de um processo existente?

Neste ponto, é importante identificar alguns aspectos relacionados à organização e, assim, conhecer de forma mais apropriada os processos. Os critérios de excelência do PNQ sugerem um modelo para definição do perfil da empresa, de modo a facilitar a identificação de seus processos. O perfil

> é uma apresentação geral da organização [que] apresenta aspectos relevantes do processo de transformação de insumos em produtos com valor agregado, por meio de recursos disponíveis, para atender a mercados-alvo [FNQ, 2009:29].

São pontos de destaque solicitados no perfil:

- propósitos e porte: natureza das atividades e seu porte;
- produtos e processos: principais produtos, descrição dos processos principais do negócio e dos processos de apoio;
- principais equipamentos, instalações e tecnologias;
- composição da sociedade ou identificação dos membros mantenedores ou instituidores;

- força de trabalho: denominação, composição, inclusive quantidade de terceiros sem coordenação direta da organização;
- clientes e mercados: principais mercados nos ramos de atuação, principais clientes ou clientes-alvo, outras organizações que atuam entre a organização e seus clientes como distribuidores, revendedores etc.;
- fornecedores e insumos: principais tipos de fornecedores e principais produtos, matérias-primas e serviços por eles fornecidos;
- sociedade: principais comunidades com as quais a organização se relaciona;
- parceiros e outras partes interessadas.

No perfil é solicitada, para todas as partes interessadas – cliente, pessoas, fornecedor, acionista, sociedade –, a informação sobre suas principais necessidades e expectativas. Isso é de grande importância para podermos verificar se os processos atendem aos requisitos de todas as partes interessadas e não somente àqueles dos clientes. A figura 3 ilustra um exemplo de representação de perfil na Albras, empresa premiada no PNQ 2007.

Se já temos definidos os processos, e temos como objetivo melhorá-los, precisamos de uma ferramenta que nos ajude a atingir tal objetivo. Essa ferramenta são os indicadores que apresentamos a seguir.

Figura 3

Mapa do negócio Albras

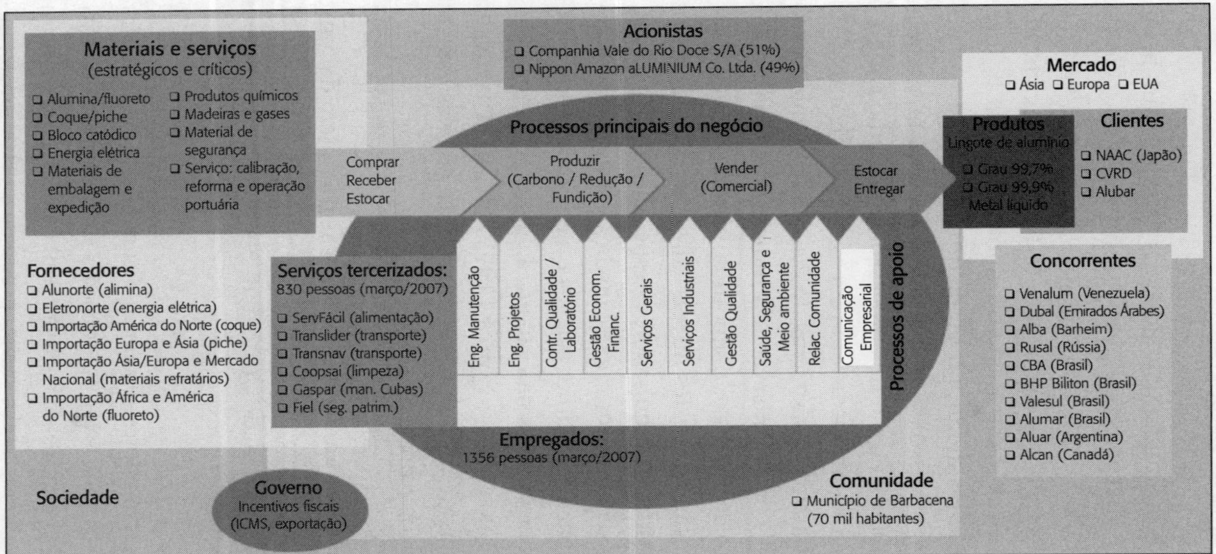

Fonte: FNQ (2007). Relatório de gestão da Albras.

Indicadores de gestão

É atribuída a W. Edwards Deming, que ficou conhecido como o responsável pela disseminação do ciclo *plan-do-chek-act* (PDCA), que será visto neste capítulo, a afirmação de que "não se gerencia o que não se mede". No ciclo PDCA, a letra "C" (*check*, em inglês) corresponde a verificar. E para verificar precisamos monitorar ou medir.

O sucesso de uma gestão está diretamente relacionado ao acompanhamento dos processos por medições, e a forma mais tradicional de medir um processo é a utilização de indicadores, com base em um sistema de medição que integre todos os indicadores da organização. Os indicadores são fundamentais para controlar processos e produtos, introduzir melhorias e avaliar a satisfação das partes interessadas, principalmente os clientes.

Muitos pesquisadores e especialistas assinalam a importância de se ter um sistema de medição. Eles podem divergir quanto à forma, à metodologia e aos objetivos relacionados ao sistema de medição, mas não quanto à sua importância.

Takashina e Flores (1999) definem indicadores como "formas de representação quantificáveis das características de produtos e processos".

Os critérios de excelência do PNQ (FNQ, 2011:94) apresentam a definição transcrita a seguir, além de mostrar exemplos: índice de lucratividade, índice de satisfação de clientes, taxa de gravidade de acidentes e manutenção de certificação independente.

> Indicadores – também denominados "indicadores de desempenho" – são informações quantitativas ou fatos relevantes que expressam o desempenho de um produto ou processo, em termos de eficiência, eficácia ou nível de satisfação, e, em geral, permitem acompanhar sua evolução ao longo do tempo.

Galvão e Mendonça (1999:14), quando defendem a importância dos indicadores para orientar os esforços de melhoria dos processos, definem indicadores como "relação entre variáveis representativas de um processo que permitem gerenciá-lo".

O uso dos indicadores permite aos gestores de uma organização "sentirem" como estão os processos e produtos e, a partir daí, tomarem decisões com base em fatos.

Classificação dos indicadores

É importante classificar os indicadores a serem adotados, não só para podermos aplicá-los de forma eficaz, como também para facilitar o desdobramento do sistema de medição em todos os níveis da organização, se possível, até cada indivíduo. Desta forma, suas tarefas poderão ser medidas e ligadas aos objetivos da organização.

Assim como encontramos diversas definições para indicador, também varia, entre os especialistas, a forma de classificá-lo. Tal variação ocorre em função da finalidade e da aplicação dos indicadores.

Uma primeira forma de classificação é de acordo com o nível hierárquico do indicador: indicadores de nível estratégico, de nível gerencial e de nível operacional.

O que significa cada um deles? Os de nível estratégico são usados para avaliar os principais efeitos da estratégia nas partes interessadas e nas causas desses efeitos, refletindo os objetivos e as ações que pertencem à organização como um todo e não a um setor específico. Os de nível gerencial são usados para verificar a contribuição dos setores e dos macroprocessos organizacionais à estratégia e para avaliar se estes setores e macroprocessos buscam a melhoria contínua de forma equilibrada. Já os de nível operacional servem para avaliar se os processos ou rotinas individuais estão sujeitos à melhoria contínua e à busca da excelência.

Outra forma de classificar os indicadores é considerar a perspectiva do negócio que, naturalmente, varia de organização para organização. Algumas adotam o critério oito do Modelo de Excelência da Gestão® do PNQ: clientes e mercado; econômico-financeiro; pessoas; fornecedores; processos e produto; sociedade; e processos de apoio e organizacionais. Outras adotam as perspectivas recomendadas pela metodologia do gerenciamento por diretrizes: qualidade, entrega ou tempo, custo, moral e segurança. Outras, ainda, adotam a divisão nas cinco típicas partes interessadas: clientes, acionistas, colaboradores, fornecedores e sociedade.

A terceira forma de classificar é considerando as quatro perspectivas do *balanced scorecard* (BSC), conforme recomendado pelos idealizadores dessa metodologia, Kaplan e Norton: finanças, clientes, processos internos e aprendizado e crescimento (Kaplan e Norton, 1997).

Galvão e Mendonça (1999) apresentam três grupos de indicadores com os seguintes significados:

- indicador da *qualidade*: representa a proporção entre o que foi feito em conformidade com os padrões requeridos e o total feito. Este indicador também é conhecido como indicador de satisfação do cliente;
- *indicador de produtividade*: representa a competência no uso dos recursos necessários à produção de um bem ou serviço;
- *indicador de saída*: representa a quantidade de produtos ou serviços gerados em determinado período de tempo.

Atributos desejáveis de um indicador

É fundamental que um "bom" indicador comunique a intenção do que se pretende medir e que seja quantificável, confiável e medido de maneira contínua.

A finalidade principal de um sistema de medição é ser base para a tomada de decisões. Para que isso se concretize, é importante que os indicadores sejam especificados de forma cuidadosa, a fim de que sejam confiáveis. Para Takashina e Flores (1999), na definição dos indicadores, um conjunto de informações deve fazer parte da sua especificação, conforme se segue:

- *abreviatura*: sigla ou título simplificado do indicador;
- *unidade de medida*;
- *periodicidade*: frequência da disponibilização dos dados e resultados;
- *revisão*: data da última atualização do indicador;
- *tipo-chave*: classificação segundo os grupos de indicadores;
- *arquivo*: local de armazenamento dos dados ou resultados;
- *título*: nome por extenso do indicador;
- *definição*: método de cálculo do indicador;
- *origem*: como foi gerado o indicador;
- *critério para estabelecimento de metas*;
- *referenciais de comparação*;
- *fonte*: fonte dos dados ou resultados;
- *metodologia de medição*: metodologia adotada para coleta e processamento dos dados ou resultados;
- *metodologia de análise*: metodologia adotada para análise dos dados ou resultados;
- *metodologia de uso*: metodologia adotada para uso dos dados ou resultados (análise crítica, tomada de decisão, revisão do planejamento);
- *público-alvo*: pessoas ou órgãos que utilizam os dados e resultados;
- *responsável*: pessoas ou órgão responsável pelo produto ou processo.

A especificação dos indicadores, de forma padronizada, é de grande importância para facilitar não só o processo da definição como o melhor entendimento dos indicadores na hora de sua divulgação e implementação.

Na trajetória que leva a conhecermos os processos que iremos gerir, após a identificação dos indicadores que nos apoiarão nessa tarefa, a padronização pode ser considerada um meio de estabelecer as regras de funcionamento de um processo, como veremos na próxima seção.

Padronização e melhoria

Um dos maiores sucessos da produção em massa, caracterizada pelo desenvolvimento da linha de montagem da Ford e pela administração científica da produção, foi a padronização de peças e componentes. A passagem da produção artesanal para a produção em massa só foi possível devido ao desenvolvimento de sistemas e padrões que tornaram as peças e componentes intercambiáveis, podendo ser utilizados em processos seriados. Hoje, pode-se adquirir uma máquina fotográfica, por exemplo, viajar para qualquer lugar do mundo e encontrar processos de revelação e filmes adequados às características técnicas do produto adquirido. O mesmo ocorre com os padrões de telecomunicações, sistemas de vídeo, combustíveis, pilhas e muito mais.

Vários modelos de referência – por exemplo: qualidade (ISO 9001); ambiental (ISO 14001), Modelo de Excelência da Gestão® (PNQ) – adotam a padronização como sua base e preconizam a melhoria como um dos seus requisitos. Nas subseções seguintes, são apresentados métodos tradicionais de padronização e melhoria, como trilogia Juran, ciclo PDCA, gerenciamento da melhoria e da rotina e o ciclo PDCA na análise de problemas.

Trilogia Juran

Segundo Juran (2009), o gerenciamento da qualidade pode ser obtido utilizando-se os três processos gerenciais conhecidos como a trilogia Juran: planejamento, controle e melhoria.

Planejamento da qualidade é o processo de preparação para obtenção dos objetivos. É um conjunto de atividades que visam desenvolver os produtos e processos necessários para atender às necessidades dos clientes. Envolve as seguintes etapas:

- identificar os clientes;
- determinar as necessidades dos clientes;
- definir as características dos produtos que respondem às necessidades dos clientes;
- elaborar processos capazes de reproduzir essas características;
- capacitar os colaboradores à implementação do plano.

Controle da qualidade é o processo para assegurar o cumprimento dos objetivos definidos no planejamento, durante as operações. Consiste nos seguintes passos:

- avaliar o desempenho;
- comparar o desempenho obtido com as metas;
- atuar a partir das diferenças.

Melhoria da qualidade é o processo para produzir com níveis superiores e inéditos de execução. Visa elevar os resultados a novos níveis de desempenho, seja ele incremental (melhoria contínua) ou inovador (melhoria radical). Envolve as seguintes etapas:

- estabelecer a infraestrutura necessária para assegurar uma constante melhoria;
- identificar as necessidades específicas para a criação de projetos de melhoria;

- criar, para cada projeto, uma equipe com a responsabilidade de torná-lo bem-sucedido;
- fornecer os recursos e treinamentos necessários às equipes para diagnosticar as causas, estimular o estabelecimento de uma solução e implementar controles para manter os resultados.

Os três processos da trilogia Juran estão inter-relacionados, como mostra a figura 4.

Figura 4

Diagrama da trilogia Juran

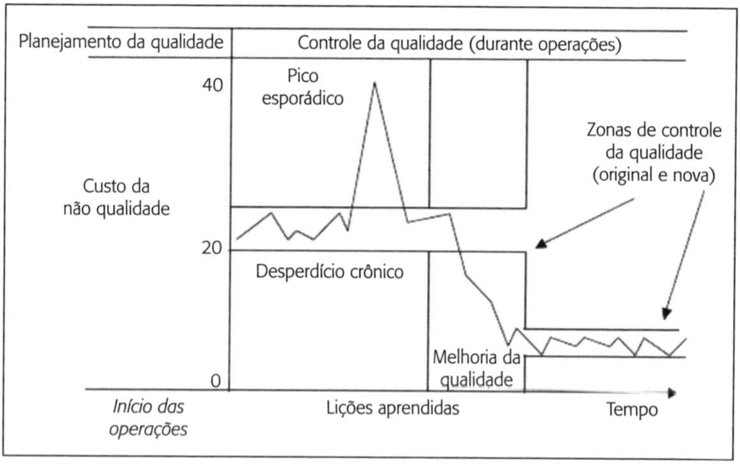

Fonte: Adaptado de Juran (2009).

O diagrama da trilogia Juran é um gráfico com as variáveis "tempo", no eixo horizontal, e "custo da não qualidade" (deficiências da qualidade), no eixo vertical. A atividade inicial é o planejamento da qualidade. Determina-se quem são os clientes e quais suas necessidades. Em seguida, são desenvolvidos os projetos de produto e processo associados, capazes de atender a essas necessidades. Finalmente, os colaboradores são capacitados a implementar os planos.

A tarefa dos colaboradores é operar os processos e produzir. À medida que as operações prosseguem, logo se percebe que o processo não é capaz de atingir todas as metas planejadas. A figura 4 mostra que 20% do trabalho devem ser refeitos como resultado da não qualidade. Esse desperdício torna-se, então, crônico, porque o processo planejado apresenta, intrinsecamente, deficiências.

Com os padrões estabelecidos, os colaboradores são incapazes de se livrar desse desperdício intrínseco. O que eles fazem, alternativamente, é executar o controle da qualidade, para prevenir que a situação piore. O controle inclui a extinção da dispersão (picos esporádicos) e a diminuição da variabilidade.

A figura 4 também mostra que, com o tempo, o desperdício é reduzido a um nível muito abaixo do valor original. Esse ganho é conseguido pelo terceiro processo da trilogia: o da melhoria da qualidade. Percebe-se que o desperdício é, também, uma oportunidade de melhoria.

A trilogia relaciona-se às deficiências de processo. A escala vertical pode apresentar, por exemplo, unidades de medida como custo da não qualidade, frequência de erros, percentagem de defeitos e frequência de chamadas da assistência técnica. Nessa mesma escala, a perfeição seria o zero; quando os números sobem, significa que a situação piora. O resultado de reduzir as deficiências dos processos é a redução do custo da não qualidade.

Outra forma de entender o conceito e a importância da padronização e da melhoria é a aplicação do ciclo PDCA.

Ciclo PDCA

A filosofia do melhoramento contínuo possui, como sua mais conhecida representação, o ciclo PDCA, também conhecido como ciclo de Shewhart, seu idealizador, ou como ciclo de Deming, o responsável por seu desenvolvimento e reconhecimento.

O ciclo PDCA é um método gerencial para a promoção da melhoria contínua e reflete, em suas quatro fases, a base da filosofia do melhoramento contínuo. Praticando-as de forma cíclica e ininterrupta, acaba-se por promover a melhoria contínua e sistemática na organização, consolidando a padronização de práticas. As quatro fases são mostradas na figura 5 e explicadas a seguir.

Figura 5

Ciclo PDCA

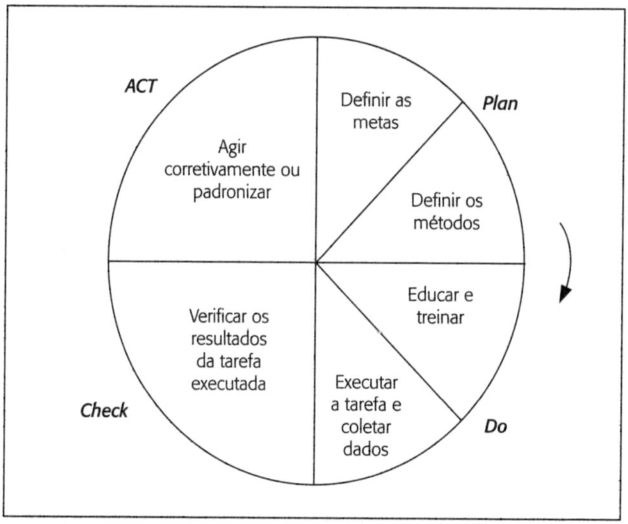

Fonte: Campos (2004b).

- *Primeira fase*: plan *(planejamento)* – Devem-se estabelecer os objetivos e metas, para que sejam desenvolvidos métodos, procedimentos e padrões para alcançá-los. Normalmente, as metas são desdobradas do planejamento estratégico e representam requisitos do cliente ou parâmetros e características de produtos, serviços ou processos. Os métodos contemplam os procedimentos e as orientações técnicas necessárias para que as metas sejam atingidas.

- *Segunda fase*: do *(execução)* – Esta é a fase de implementação do planejamento. É preciso fornecer educação e treinamento para a execução dos métodos desenvolvidos na fase de planejamento. Ao longo da execução, devem-se coletar os dados que serão utilizados na fase de verificação. Quando o pessoal envolvido na execução vem participando desde a fase de planejamento, o treinamento, em geral, deixa de ser necessário.
- *Terceira fase*: check *(verificação)* – É quando, por meio da comparação entre as metas desejadas e os resultados obtidos, verifica-se se o planejado foi consistentemente alcançado. Normalmente, usam-se, para isso, ferramentas de controle e acompanhamento, como cartas de controle, histogramas, folhas de verificação, entre outros. É importante ressaltar que essa comparação deve ser baseada em fatos e dados e não em opiniões ou intuição.
- *Quarta fase*: act *(agir corretivamente)* – Nesta fase, há duas alternativas. A primeira consiste em buscar as causas fundamentais, a fim de prevenir a repetição dos efeitos indesejados, no caso de não terem sido alcançadas as metas planejadas. A segunda, em adotar como padrão o planejado na primeira fase, já que as metas planejadas foram alcançadas.

"Girar o ciclo PDCA" significa obter previsibilidade nos processos e aumento da competitividade organizacional. A previsibilidade acontece pela obediência aos padrões, pois, quando a melhoria é bem-sucedida, adota-se o método planejado, padronizando-o; caso contrário, volta-se ao padrão anterior e recomeça-se a "girar o PDCA", terminologia que significa melhoria contínua, no jargão da qualidade.

Alguns autores adaptam a terminologia ciclo PDCA para ciclo SDCA, quando o P (planejamento) é substituído pelo S (standard), para refletir as atividades que foram planejadas e padronizadas.

A figura 6 apresenta os papéis da padronização, da melhoria contínua e da melhoria radical ao longo do tempo, garantindo, para a organização, a previsibilidade e a competitividade.

Figura 6

Ciclo PDCA – Manutenção e melhoria

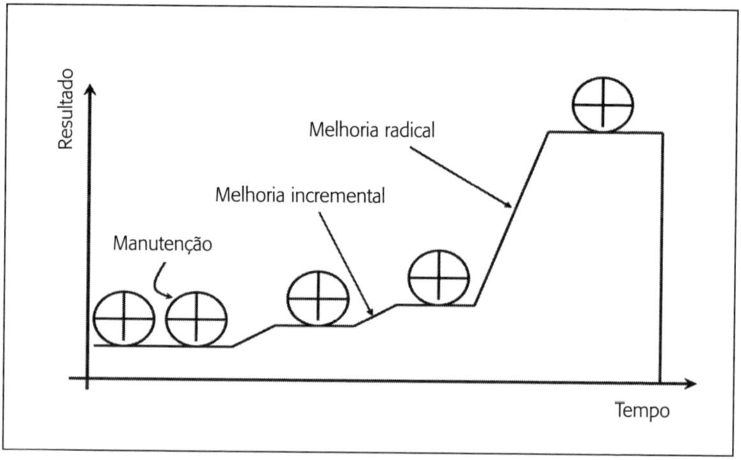

Segundo Deming (1990), não basta "girar o PDCA" sem clareza de aonde se quer chegar, ou seja, sem uma constância de propósitos estabelecidos pela direção. É importante que as pessoas trabalhem juntas, com uma compreensão mútua dos 14 pontos e de como colocá-los em prática; caso contrário seguirão diversas direções, bem-intencionadas, porém mal orientadas, enfraquecendo seus esforços e, às vezes, trabalhando para fins conflitantes.

Para implantar a prática da melhoria contínua e criar uma cultura de padronização por toda a empresa, a direção tem de estar insatisfeita com o desempenho passado e precisa ter coragem para mudar. Tem que estar ansiosa para alterar seu estilo de administração. É essencial que se desenvolva essa crítica. Os colaboradores não podem agir sozinhos; a direção também não.

Alguns autores associam a aplicação do ciclo PDCA ao gerenciamento da rotina e da melhoria dos processos organizacionais.

Gerenciamento da melhoria e gerenciamento da rotina

Pode-se dividir a aplicação do conceito de melhoramento contínuo em duas partes: o gerenciamento da melhoria e o gerenciamento da rotina.

O gerenciamento da melhoria é de responsabilidade da direção e tem como objetivos a sobrevivência e o crescimento do negócio, situando-se no nível estratégico. Visa à eficácia organizacional. A ideia básica é propiciar apoio para o cumprimento das políticas, buscando novas práticas em detrimento das antigas. É um método para atingir objetivos e alvos definidos pela direção, por meio do desdobramento das metas nos diversos níveis da empresa. Essas metas precisam originar-se de um forte conhecimento das necessidades dos clientes, dos segmentos de mercado e das novas tecnologias aplicadas ao negócio. O método de *benchmarking*, a ser visto oportunamente neste livro, é muito empregado para determinar as metas a serem perseguidas com base nos referenciais de excelência. O gerenciamento da rotina é um método de gestão de responsabilidade dos colaboradores e busca a eficiência organizacional, por meio da obediência aos padrões de trabalho, para evitar alterações ou mudanças que possam comprometer os níveis de qualidade estabelecidos. Para tanto, é preciso educar e treinar todos os colaboradores.

O gerenciamento da rotina busca o atendimento dos objetivos determinados para cada processo e preconiza a utilização do ciclo

PDCA para promover a melhoria contínua a partir dos objetivos delineados pelo gerenciamento da melhoria, de nível estratégico.

Costuma-se também encontrar na literatura uma particularidade da aplicação do PDCA: sua utilização no tratamento e na resolução de problemas.

Ciclo PDCA na análise de problemas

Uma das aplicações mais usuais do ciclo PDCA ocorre na análise e na solução de problemas, permitindo a realização do controle da qualidade em toda a empresa. É preciso que esse método gerencial seja dominado por todos na organização, já que promove o tratamento adequado de problemas, a padronização da melhoria contínua e o desenvolvimento de oportunidades.

O ciclo PDCA pode ser desdobrado em etapas ou passos, sendo normalmente conhecido como Método de Análise e Solução de Problemas (Masp). Mas há, na literatura e no mercado, diversas outras denominações em que os passos sugeridos se assemelham, como Método de Análise e Melhoria de Processos (Mamp) e *Quality Circle Story* (QC *story*). Esses métodos, estruturados e sistemáticos, são utilizados pelas equipes para a resolução de problemas.

Problema é o efeito indesejado de um processo, é um resultado com o qual não se está satisfeito. Sendo a meta o resultado desejado de um processo, problema é uma meta que não foi alcançada. É importante separar efeito de causa, pois, para um mesmo problema (efeito), pode-se ter uma série de causas, que, uma vez eliminadas ou controladas, farão com que o problema seja solucionado ou fique sob controle. Ao utilizar o desdobramento do ciclo PDCA na análise de problemas, a equipe de melhoria passa a seguir uma metodologia estruturada, que permite evitar que sejam tomadas decisões precipitadas acerca do problema, propiciando seu claro entendimento, permitindo optar pelo caminho mais rápido e de melhor custo-benefício e esgotando todas as possíveis soluções.

Os passos apresentados no quadro 2 representam uma sugestão de desdobramento do ciclo PDCA.

Quadro 2

Passos da análise e solução de problemas – ciclo PDCA

1. Identificação do problema	❑ selecionar o problema a solucionar, priorizando os temas existentes; ❑ levantar as perdas atuais e as possibilidades de ganhos; ❑ nomear os responsáveis e a equipe, propondo data-limite para sua conclusão.
2. Observação	❑ entender o problema, levantando seu histórico e a frequência de ocorrência; ❑ observar, no local, as características, como ambiente, instrumentos, confiabilidade dos padrões, treinamento, entre outras.
3. Análise	❑ identificar e selecionar as causa mais prováveis do problema;
4. Plano de ação	❑ elaborar a estratégia de ação; ❑ elaborar o plano de ação; ❑ divulgar o plano de ação;
5. Ação	❑ treinar e capacitar as pessoas, buscando o comprometimento de todos; ❑ executar e acompanhar a ação, registrando os resultados; ❑ coletar dados.
6. Verificação	❑ comparar os resultados com as metas esperadas; verificar a continuidade ou não do problema. Se os resultados esperados não forem alcançados, voltar ao passo 2; ❑ listar eventuais efeitos secundários.
7. Padronização	❑ elaborar ou alterar o padrão; ❑ comunicar internamente as alterações; ❑ educar e treinar todos os envolvidos no novo padrão.
8. Conclusão	❑ registrar os avanços obtidos pelo grupo; ❑ relacionar os problemas remanescentes; ❑ planejar a solução dos problemas remanescentes, voltando a executar o ciclo PDCA; ❑ refletir sobre o trabalho, visando à melhoria futura.

O uso sistemático do método na análise de problemas, na manutenção e na melhoria dos resultados é uma forma concreta de demonstrar e obter o comprometimento das pessoas no tão almejado crescimento da organização.

Vale frisar que o comprometimento das pessoas com a melhoria do processo, do bem ou do serviço decorre, principalmente, da participação na análise e solução de problemas e na implantação de melhorias contínuas no dia a dia da organização.

Ao longo dos passos dessa metodologia, utilizam-se várias ferramentas, como diagrama de causa e efeito, lista de verificação, estratificação, diagrama de Pareto, brainstorming, diagrama de dispersão, entre outras. Essas ferramentas serão apresentadas a você, leitor, no próximo capítulo deste livro. O uso dessas ferramentas não garante, por si só, a resolução dos problemas; garante apenas seu entendimento; é preciso, também, que todos os colaboradores estejam comprometidos com a filosofia do melhoramento contínuo e conheçam profundamente o processo, o bem ou o serviço a ser melhorado. As pessoas precisam ter capacidade de saber quando, por que e como utilizá-las, separadamente ou combinadas.

Um aspecto muito importante sobre as ferramentas normalmente utilizadas é sua simplicidade, o que propicia fácil entendimento e aplicação, permitindo a participação de todos na solução do problema e gerando, em consequência, o comprometimento de toda a equipe, por meio da responsabilidade pelas soluções implementadas. No entanto, algumas ferramentas são de base fortemente estatística, exigindo capacitação adequada para serem utilizadas.

Neste capítulo, discorremos acerca da gestão por processos, procurando enfatizar os aspectos mais importantes. No próximo, serão descritas importantes ferramentas de gerenciamento da qualidade.

3 Ferramentas de gerenciamento

Caro leitor, neste capítulo serão apresentadas as principais ferramentas de gerenciamento da qualidade. O conjunto destas ferramentas foi estruturado principalmente a partir de 1950, com base em conceitos e práticas existentes.

Como visto no capítulo anterior, o PDCA é um método que tem por objetivo a manutenção e a melhoria dos processos. Em cada etapa de sua aplicação, são utilizadas diversas ferramentas. A literatura arrola dezenas delas, para as mais diversas finalidades e com variadas nomenclaturas.

Entre especialistas e usuários, surgiram classificações sobre a forma de agrupar e utilizar algumas dessas ferramentas, por exemplo, ferramentas de controle ou de planejamento. Outras, utilizadas com menos frequência ou mais aplicáveis a determinados contextos, fazem parte do acervo característico, mas não recebem classificações específicas.

Ferramentas básicas

Brainstorming e variações

O brainstorming (tempestade de ideias) é um processo de grupo em que os indivíduos emitem ideias de forma livre, sem críticas, no menor espaço de tempo possível.

Os grupos devem ter entre cinco e 12 pessoas, e é recomendável que a participação seja voluntária, com regras claras e prazo determinado. Devem ser utilizados facilitadores adequadamente treinados para lidar com os grupos.

O propósito do brainstorming é lançar e detalhar ideias com certo enfoque, originais e em uma atmosfera sem inibições. Busca-se a diversidade de opiniões a partir de um processo de criatividade grupal. Adicionalmente, é uma ferramenta que contribui para o desenvolvimento de equipes.

O brainstorming apresenta as seguintes características:

- favorecimento da capacidade de autoexpressão, livre de inibições ou preconceitos da própria pessoa ou de qualquer outra do grupo;
- liberação da criatividade;
- desenvolvimento da capacidade de aceitar e conviver com diferenças conceituais e multidisciplinares;
- ausência de julgamento prévio;
- registro das ideias;
- desenvolvimento da capacidade de síntese;
- delimitação de tempo;
- ausência de hierarquia durante o processo.

Sucintamente, pode-se dizer que há três fases típicas no brainstorming:

- apresentação do assunto, problema ou situação de forma clara e objetiva;
- geração e documentação das ideias;
- análise e seleção.

O *brainwriting*, também conhecido como brainstorming fechado, é uma variação do brainstorming, com a seguinte diferença básica: as opiniões e ideias são apresentadas por escrito. Nele não há exposição oral na fase de geração e de documentação das ideias, o que reduz o risco de ocorrência de críticas e inibições, tendo em vista que, nesse caso, é garantido o anonimato do autor da ideia. As fases se assemelham às do brainstorming.

Cartas de controle

Carta de controle, conforme mostrado na figura 7, é um tipo específico de gráfico de controle, que serve para acompanhar a variabilidade de um processo, identificando suas causas comuns (intrínsecas ao processo) e especiais (aleatórias).

As causas comuns estão relacionadas ao funcionamento do próprio sistema (por exemplo, projeto e equipamentos), enquanto as causas especiais refletem ocorrências fora dos limites de controle (por exemplo, falha humana, queda de energia e matéria-prima não conforme).

Para a construção da carta de controle, deve-se calcular estatisticamente o limite superior de controle (LSC), o limite inferior de controle (LIC) e a média (M) de um processo. Os dados do processo, dentro desses limites, caracterizarão, na maior parte das vezes, que o mesmo está estatisticamente sob controle (estável) e que as flutuações são consistentes e inerentes ao processo.

Figura 7

CARTA DE CONTROLE

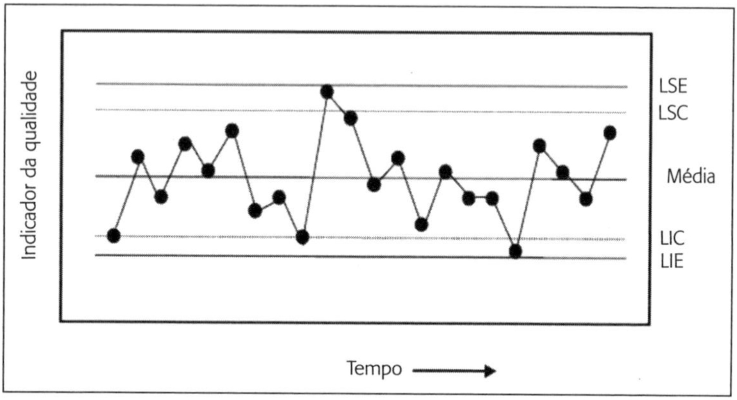

Por outro lado, dados fora desses limites caracterizam ocorrências indesejáveis (causas especiais), merecendo, consequentemente, análise pormenorizada.

De modo geral, causas comuns devem ser tratadas via ação gerencial, enquanto as especiais devem ser tratadas pelos próprios operadores. Não distinguir causas comuns de causas especiais pode fazer com que os operadores efetuem ajustes para variações de causas comuns que acabem por desestabilizar o sistema.

Observe ainda, leitor, que os limites de controle observados não significam, necessariamente, que o bem ou serviço em elaboração atenda às expectativas planejadas. Significa, apenas, que o processo é consistente, mesmo que seja consistentemente ruim.

Para que o processo seja considerado consistentemente bom, ele deve atender não só aos limites de controle comentados, como também aos limites de especificação – inferior e superior (LIE e LSE), respectivamente. Esses limites são obtidos a partir das necessidades do cliente, traduzidas no projeto do processo.

Diagrama de causa e efeito

O diagrama de causa e efeito, apresentado na figura 8, também conhecido como diagrama de Ishikawa ou diagrama espinha de peixe, é uma ferramenta de representação das possíveis causas que levam a determinado efeito.

As causas são agrupadas por categorias e semelhanças previamente estabelecidas ou percebidas durante o processo de classificação. A grande vantagem é que se pode atuar de modo mais específico e direcionado no detalhamento das causas possíveis.

Em linhas gerais, são as seguintes as etapas de elaboração do diagrama de causa e efeito:

- discussão do assunto a ser analisado pelo grupo, contemplando seu processo, como ocorre, onde ocorre, áreas envolvidas e escopo;
- descrição do efeito (problema ou condição específica) no lado direito do diagrama;
- levantamento das possíveis causas e seu agrupamento por categorias no diagrama. Essas categorias quase sempre estão relacionadas a pessoas, materiais, equipamentos, métodos e meio ambiente, mas pode haver variações;
- análise do diagrama elaborado e coleta de dados para determinar a frequência de ocorrência das diferentes causas.

A seguir, um exemplo de aplicação dessa ferramenta para a determinação de possíveis causas de exames laboratoriais com erro.

Dependendo da complexidade do diagrama, podem-se desdobrar algumas causas em um novo diagrama de causa e efeito, mais aprofundado e detalhado, a fim de permitir uma abordagem mais minuciosa.

Figura 8

DIAGRAMA DE CAUSA E EFEITO

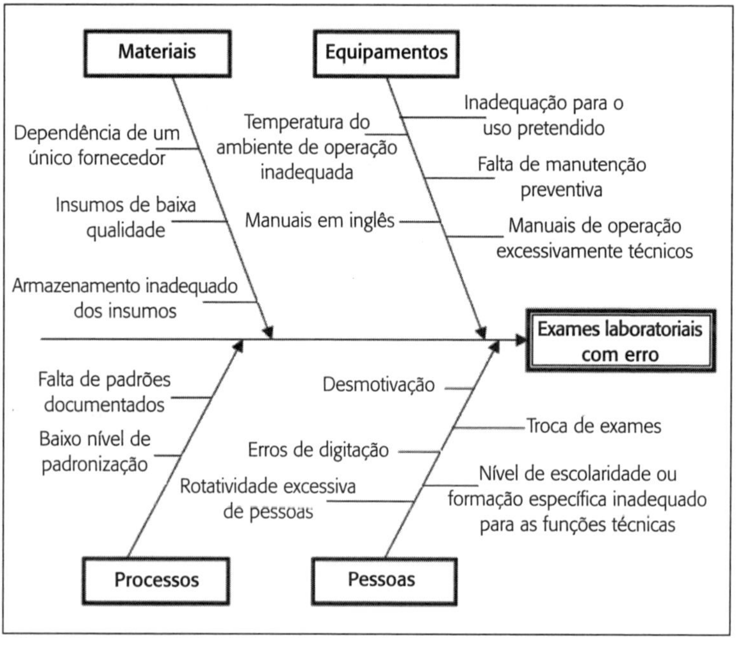

Diagrama de dispersão

O diagrama de dispersão ajuda a visualizar a alteração sofrida por uma variável quando outra se modifica. Um bom exemplo é o impacto do incremento de fertilizantes sobre a produtividade (quantidade colhida por hectare plantado), conforme mostra a figura 9. À medida que se aumenta a quantidade de fertilizante, aumenta-se o nível de produtividade.

Observe, leitor, que esse diagrama serve apenas para demonstrar a intensidade da relação entre as variáveis selecionadas, o que não garante, necessariamente, que uma variável seja causa de outra, ou melhor, não garante a relação entre causa e efeito. Dependendo da dispersão apresentada no diagrama, podemos identificar diferentes níveis de correlação: positiva, negativa ou sem correlação.

Figura 9

DIAGRAMA DE DISPERSÃO

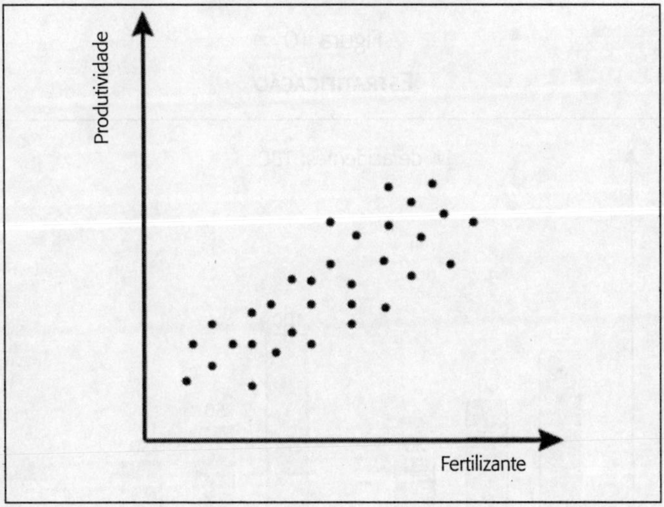

Estratificação

A estratificação consiste no desdobramento de dados a partir de um levantamento ocorrido em categorias, grupos ou, melhor dizendo, estratos, para determinar sua composição.

O objetivo do seu uso é auxiliar na análise e na pesquisa para o desenvolvimento de oportunidades de melhoria, na medida em que possibilita a visualização da composição real dos dados por seus estratos.

Por exemplo, pode-se imaginar, como informação global, o número de acidentes em uma indústria. Essa informação não ajuda a compreender o problema. Entretanto, quando o total de ocorrências é estratificado por departamento, por turno, por dia da semana, por tipo, por categoria, entre outras classificações (estratos), fornece valiosas informações sobre onde, efetivamente, ocorre o problema, para que este seja, então, tratado de forma sistemática. Vejamos a figura 10.

Figura 10

Estratificação

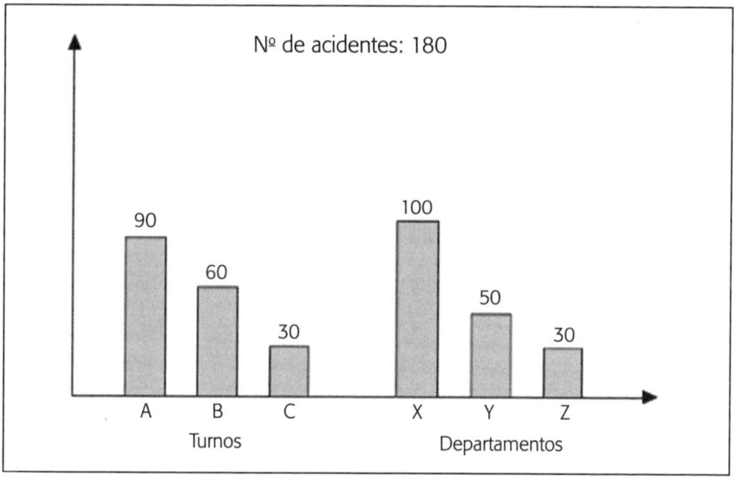

Fluxograma

Fluxograma é uma representação gráfica que permite a fácil visualização dos passos de um processo. Apresenta a sequência lógica e de encadeamento de atividades e decisões, de modo a se obter uma visão integrada do fluxo de um processo técnico, administrativo ou gerencial, o que permite a realização de análise crítica para detecção de falhas e de oportunidades de melhorias.

O fluxograma utiliza símbolos padronizados, que facilitam a representação dos processos. É importante registrar, no entanto, que a inclusão de tantos símbolos não é didaticamente positiva. Juran (2009:47) informa que a "maior parte dos fluxogramas é construída a partir de poucos símbolos". O quadro 3 apresenta o significado dos símbolos mais utilizados.

Quadro 3

SÍMBOLOS MAIS UTILIZADOS EM FLUXOGRAMAS

Símbolo	Sgnificado	Símbolo	Sgnificado
	Terminal		Documento
	Executante		Decisão
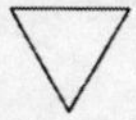	Arquivo		Conector de página
	Conector de rotina		Sentido de circulação
	Operação	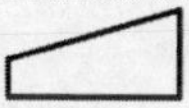	Material

A figura 11 apresenta um exemplo de utilização.

Figura 11

FLUXOGRAMA

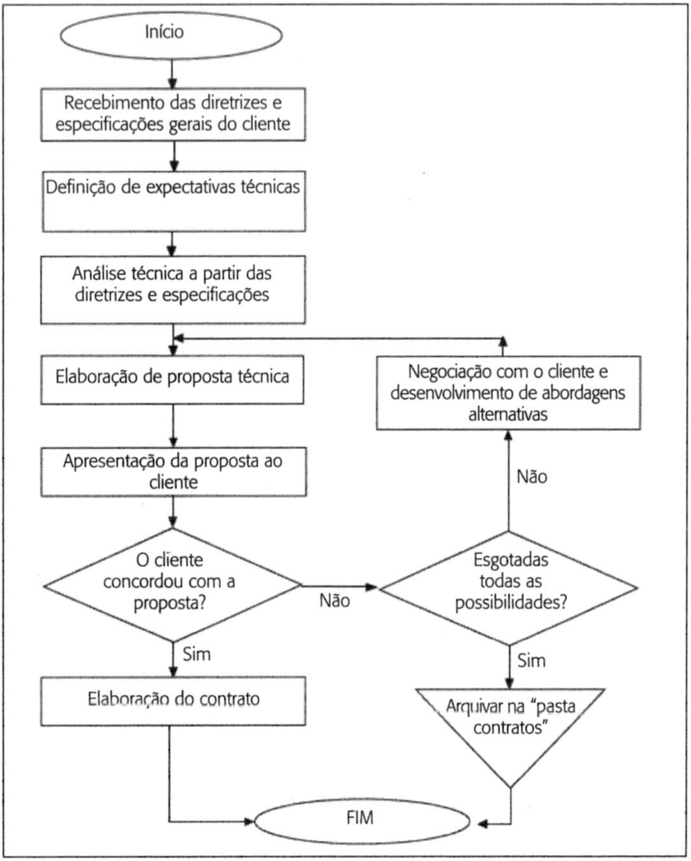

Folha de verificação

A folha de verificação é uma ferramenta usada para quantificar a frequência com que certos eventos ocorrem, em certo período de tempo.

A figura 12 ilustra a aplicação dessa ferramenta no levantamento da frequência de reclamações de hóspedes em uma rede de hotéis, durante um mês.

Figura 12

FOLHA DE VERIFICAÇÃO

Categoria das reclamações	Mês: abril	Total
1. *Check in* e *check out*	~~IIII~~ ~~IIII~~	10
2. Limpeza não realizada	~~IIII~~	5
3. Demora na entrega de refeições	~~IIII~~ ~~IIII~~ ~~IIII~~	15
4. Defeitos na TV ou no ar-condicionado	III	3
5. Problemas com o chuveiro	~~IIII~~ I	6
6. Defeitos no sistema telefônico	~~IIII~~ IIII	9
7. Falta de toalhas ou cobertas	~~IIII~~ ~~IIII~~	10
8. Outras categorias	~~IIII~~ ~~IIII~~ ~~IIII~~ ~~IIII~~	20
Total		**78**

A folha de verificação pode ser analisada horizontalmente, como ocorre normalmente, e também verticalmente, quando se deseja analisar o impacto do período de tempo considerado. No entanto, a folha de verificação não considera pesos ou ainda níveis de importância relativa entre os eventos, o que pode ser fundamental para uma análise mais apurada.

Gráfico de Pareto

Gráfico de Pareto é um gráfico de barras, como apresentado na figura 13, construído a partir de um processo de coleta de dados (em geral, uma folha de verificação), e pode ser utilizado quando se deseja priorizar problemas ou causas relativas a um determinado assunto.

Figura 13

GRÁFICO DE PARETO

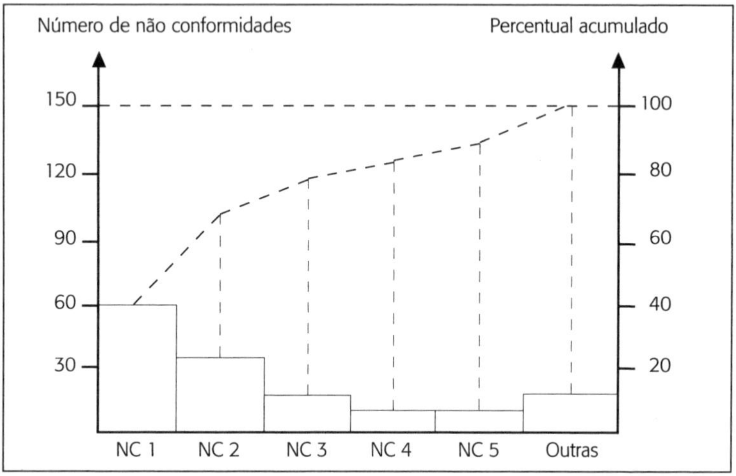

A ideia básica surgiu a partir do princípio de Pareto (Vilfredo Pareto, economista italiano do século XIX), que foi desenvolvido com base no estudo sobre desigualdade na distribuição de riquezas, cuja conclusão era de que 20% da população (poucos e vitais) detinham 80% da riqueza, enquanto o restante da população (muitos e triviais) detinha apenas 20%.

Essa relação é também conhecida como a regra dos 80/20 e se aplica a muitos problemas de baixa qualidade. Quando investigamos, por exemplo, a origem de defeitos ou de queixas de clientes, é provável que eles estejam concentrados em poucos tipos de problemas. O diagrama de Pareto nos ajuda a priorizar a solução dos poucos problemas úteis, em vez de buscar atacar todos de uma vez.

Histograma

O histograma é um gráfico de barras que mostra a distribuição de dados por categorias.

Enquanto os gráficos de controle mostram o comportamento de uma variável ao longo do tempo, o histograma fornece uma fotografia da variável em determinado instante. Representa uma distribuição de frequência que é agrupada estatisticamente na forma de classes, nas quais se observa a tendência central dos valores e sua variabilidade.

O histograma apresentado a seguir obedece a uma distribuição normal, apresentando a forma conhecida como "curva do sino", também chamada de "curva de Gauss", conforme mostra a figura 14.

Figura 14

HISTOGRAMA

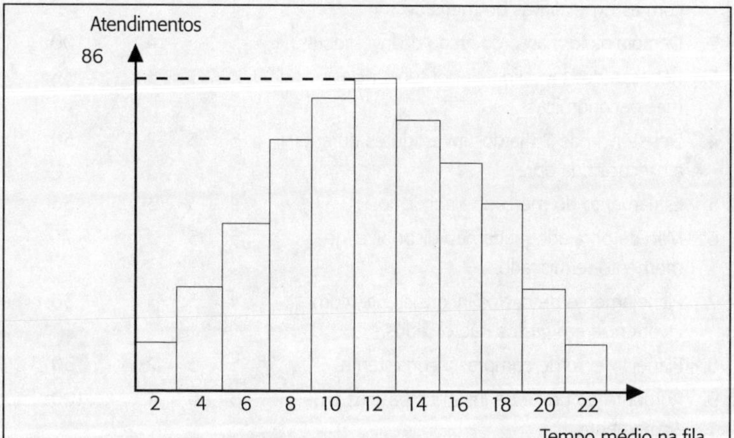

Matriz GUT

Matriz GUT é a representação de problemas, ou riscos potenciais, através de quantificações que buscam estabelecer prioridades para abordá-los, visando minimizar os impactos. É, em geral, utilizada na priorização de problemas e na análise de riscos. Os problemas são arrolados, conforme mostra o quadro 4, e analisados sob os aspectos de gravidade (G), urgência (U) e tendência (T). Usualmente, atribui-se um número inteiro entre 1 e 5 a cada uma das dimensões (G, U e T), correspondendo o 5 à maior intensidade e o 1 à menor; a seguir, multiplicam-se os valores obtidos para G, U e T, a fim de se obter um valor para cada problema ou fator de risco analisado. Os problemas ou fatores de risco que obtiverem maior pontuação serão tratados prioritariamente.

Quadro 4

MATRIZ GUT

Problemas	G	U	T	G × U × T
1. Concepção do imóvel em não conformidade com as expectativas do mercado.	5	4	1	20
2. Demora na formação do grupo de investidores.	5	5	4	100
3. Retração dos investidores por tendências macroeconômicas.	4	3	3	36
4. Desistência de 25% dos investidores durante a execução da obra.	5	5	2	50
5. Esfriamento do mercado imobiliário.	4	3	3	36
6. Mão de obra adequada não disponível no momento requisitado.	5	5	3	75
7. Planejamento de custos inconsistente, com incorrência em gastos não orçados.	4	3	3	36
8. Planejamento de compras inconsistente.	5	3	2	30
9. Aumento do preço de insumos básicos e de acabamento.	5	5	4	100
10. Longos períodos de chuvas.	4	3	2	24

5W2H

Essa ferramenta é utilizada principalmente no mapeamento e na padronização de processos, na elaboração de planos de ação e no estabelecimento de procedimentos associados a indicadores. É de cunho basicamente gerencial e busca o fácil entendimento por meio da definição de responsabilidades, métodos, prazos, objetivos e recursos associados.

O 5W2H representa as iniciais das palavras, em inglês, *why* (por que), *what* (o que), *where* (onde), *when* (quando), *who* (quem), *how* (como) e *how much* (quanto custa). O quadro 5 mostra um exemplo dessa ferramenta.

Quadro 5

5W2H

Plano de ação						
Setor: Serviços de Apoio e Logística					Responsável: João	
Objetivo: Reduzir custos internos de geração de fotocópias em 30%						
O que (*What*)	**Quem (*Who*)**	**Quando (*When*)**	**Onde (*Where*)**	**Por que (*Why*)**	**Como (*How*)**	**Custos (*How much*)**
Reavaliação de contratos e negociação com fornecedores	Joana	Até 15-4-X	Em nossa empresa e nos fornecedores	Há suspeitas de as cláusulas de desconto por volume não estarem compatíveis com o mercado	Comparação com outros contratos (mercado) e pesquisa junto a fornecedores alternativos	Remuneração de 100 horas de técnicos + R$ 2 mil em despesas diversas
Estabelecimento de maior rigor nas autorizações	Paulo	Até 10-5-X	Nos departamentos e cargos com poder de autorização	Há muitas cópias particulares e também documentos que poderiam circular por e-mail	Conversas com as chefias e responsáveis pela análise de fluxos de tarefas	Remuneração de 150 horas de técnicos
Centralização dos serviços	Carlos	Até 25-6-X	Na administração central	Para facilitar a implementação de controles	Realocação das máquinas e colaboradores do setor	Remuneração de 120 horas de técnicos + R$ 5 mil em obras e mudança

Vale registrar, no entanto, a criatividade de autores e profissionais, que sempre procuram desenvolver e gerar novos desdobramentos das ferramentas e métodos já consolidados. Um exemplo é o fato de ter surgido uma variação dessa ferramenta, que passou a se chamar 5W3H, correspondendo o terceiro H a *how many* (quantos).

Outras ferramentas

Caro leitor, acabamos de citar e descrever as principais, e também mais usuais, ferramentas de gerenciamento da qualidade. Inúmeras outras ferramentas poderão ser utilizadas, em função do tipo de aplicação e contexto envolvido. Veremos, agora, algumas dessas ferramentas complementares.

Matriz de priorização

É uma ferramenta de priorização de ações ou objetivos baseada na utilização de critérios e pesos devidamente conhecidos.

É utilizada, principalmente, nos casos em que é preciso selecionar as melhores opções, quando existem dúvidas quanto à importância relativa dos critérios de decisão ou, ainda, quando as opções estão fortemente relacionadas, dificultando a escolha. Veja o quadro 6.

Quadro 6

EXEMPLO DE UMA MATRIZ DE PRIORIZAÇÃO

Alternativas	Rapidez de implantação	Relação custo-benefício	Possibilidade de sucesso	Aceitação da mudança	Nota
1. Melhorar a qualidade da matéria-prima	2	1	5	5	13
2. Melhoria do método (redesenho do processo)	2	4	4	2	12
3. Seleção da equipe (contratação de pessoal)	2	2	4	4	12
4. Treinamento da mão de obra	3	2	5	3	13

Análise do campo de forças

Trata-se de uma ferramenta pela qual, inicialmente, levantamos os fatores pró e contra associados a uma determinada decisão, quantificando-os a seguir, de modo a dar subsídios à decisão.

Baseia-se no princípio de que a tomada de decisão entre as alternativas existentes sempre apresenta fatores que a impulsionam (facilitam) e fatores que a restringem (dificultam).

Devem-se identificar os fatores que atuam no processo ou decisão e classificá-los em uma das duas categorias – facilitadores ou dificultadores –, naturalmente excluindo os que são neutros. A partir daí, quantificam-se os fatores, sendo possível a percepção do predomínio de categorias ou fatores específicos.

Com a realização dessa análise, obtêm-se processos mais seguros para a tomada de decisão e, também, é possível planejar melhor as formas de implementá-los e superar as resistências e dificuldades identificadas.

Diagrama de afinidade

Trata-se de uma ferramenta que permite a associação das informações ou ações envolvidas em uma determinada análise ou plano, de forma intuitiva ou a partir de certas premissas estabelecidas, visando estruturar abordagens diferenciadas ou focadas nos agrupamentos gerados por afinidade.

É utilizada para gerar, organizar, agrupar e consolidar ideias, fatos ou informações relativos a um processo ou produto.

Contribui para a formação de agrupamentos intuitivos e espontâneos gerados pelo grupo, libertando-os do processo lógico e estruturado e, consequentemente, criando condições para o surgimento de soluções criativas.

Diagrama de árvore

Diagrama de árvore é uma ferramenta que desdobra o objetivo ou a ação principal em etapas sucessivas, nas quais os detalhes ou as partes obtidas na análise asseguram uma forma de verificação e implementação estruturada.

Permite identificar de modo sistemático, com grau crescente de detalhamento, todos os meios e tarefas necessários para se alcançar determinado objetivo. Interliga as tarefas necessárias para o alcance desse objetivo através de sucessivos desdobramentos estruturados e coerentes. Também é utilizado para determinar, em graus crescentes de detalhamento, as causas primárias de um problema.

Diagrama de flechas

Trata-se de uma forma de representação do fluxo de atividades ou tarefas de um projeto através de flechas, em que a rede obtida (ou grafo) apresenta as sequências das tarefas e suas interdependências, assim como os caminhos críticos e as folgas existentes.

É utilizado para estruturar o fluxo e a interdependência das atividades que compõem um projeto. As flechas (ou setas) representam as atividades necessárias e para cada uma delas podemos alocar a duração e os recursos necessários. A rede gerada permite análises diversas, usualmente pertinentes às dimensões "tempo" e "recursos envolvidos". Também é conhecido como diagrama de rede de atividades, tendo grande semelhança com o diagrama *project evaluation and review technique/critical path method* (PERT/CPM).

Diagrama de matriz

Trata-se de uma representação das associações ou relações existentes ou potenciais entre conjuntos de variáveis, indicando, por meio de símbolos, correlações e intensidades possíveis. Usualmente, relaciona dois ou três conjuntos de variáveis em forma matricial.

Estabelece uma relação entre grupos de dados, cada qual com suas próprias características, por meio da associação matricial e do estabelecimento de fatores de correlação entre eles, quantificando, de certa forma, a interdependência existente.

A matriz de relações poderá ser facilmente observada na etapa de elaboração da "casa da qualidade", durante a utilização do método desdobramento da função qualidade (QFD), que será examinado mais detalhadamente no capítulo 8 deste livro.

Técnica do grupo nominal

É uma ferramenta para classificar e ordenar ações, atividades ou ideias, de modo a reduzir o conjunto de opções, focando-se, então, naquelas que são essenciais, segundo a percepção do grupo.

Essa ferramenta é utilizada para selecionar e priorizar problemas ou ideias, levantados a partir de brainstorming, pesquisa de campo ou qualquer outra técnica de geração de ideias, que serão tratados, prioritariamente, por votação dos participantes.

Ferramentas estatísticas

Existe, ainda, um conjunto bastante caracterizado de ferramentas de cunho estatístico, que também são utilizadas no controle e monitoramento de processos. Esse conjunto é chamado genericamente de ferramentas de controle estatístico de processo (CEP). Incluímos nesse grupo capacidade de processo, tabelas de amostragem, confiabilidade, teste de hipótese, análise de regressão, análise multivariada, análise de variância, além de uma série de outras.

Neste capítulo, apresentamos as ferramentas mais usuais de gerenciamento da qualidade, com exemplos ilustrativos, e apontamos, também, outras que poderão ser utilizadas a partir do tipo de aplicação e contexto envolvido.

O próximo capítulo, caro leitor, está reservado para a metodologia seis sigma, por meio da qual muitas das ferramentas que acabamos de ver poderão ser utilizadas.

4 Metodologia seis sigma

Filosofia da gestão seis sigma

Neste capítulo, iremos estudar a filosofia seis sigma, passando pelo seu histórico, seus conceitos, seus fundamentos e suas metodologias de implantação. Essa temática é de suma importância devido ao grande número de organizações que a adotam e obtêm crescentes resultados em suas operações, destacando-se das competidoras em termos de produtividade em seus processos e aceitação de seus produtos (bens e serviços).

Histórico

A filosofia seis sigma tem seu início em 1981, quando Bob Galvin, presidente da Motorola, seguiu o exemplo do *chief executive officer* (CEO) da Hewlett-Packard (HP), John Young, e instituiu o programa de melhoramento "10X". Galvin pediu que a Motorola fizesse, em cinco anos, aquilo que a HP levara uma década para realizar. A Motorola saiu em busca de metodologias para implementar melhorias, suprimindo gastos e melhorando os processos (Watson, 2000).

Bill Smith, um engenheiro da Motorola, era o responsável pela pesquisa da vida útil de um determinado produto e pela coleta de informações sobre a frequência com que era reparado durante o processo de fabricação. Em 1985, Smith apresentou um trabalho concluindo que, se os defeitos fossem detectados e corrigidos durante o processo de fabricação, seria estatisticamente improvável que novos erros surgissem nos testes finais do produto. Depois que a Motorola recebeu o Prêmio Nacional da Qualidade Malcolm Baldrige, em 1988, o seis sigma passou a ser conhecido como o programa responsável pelo sucesso obtido pela empresa (Werkema, 2002).

Entre o final da década de 1980 e o início da de 1990, a Motorola obteve ganhos de aproximadamente US$ 2,2 bilhões com o seis sigma.

Com a divulgação do sucesso da Motorola, outras empresas, como Asea Brown Boveri, Allied Signal, General Electric e Sony, passaram a utilizá-lo. Jack Welch, então CEO da GE, começou a se interessar pelo programa a partir da experiência da Allied Signal. Entre 1996 e 1997, a GE investiu US$ 450 milhões no treinamento de 5 mil *master black belts* (profissionais que atuam em tempo integral como mentores dos *black belts* e assessoram os *champions*) e *black belts* (detentores do conhecimento de como conduzir um projeto seis sigma) e de mais de 65 mil *green belts* (profissionais que participam das equipes lideradas pelos *black belts* na condução dos projetos seis sigma): cerca de 30% de sua força de trabalho. Em 1999, obteve ganhos de US$ 1,5 bilhão. Segundo Jack Welch, esses resultados financeiros decorrem do aumento de market share da empresa, à medida que os consumidores passam a sentir os benefícios do programa seis sigma em seus próprios negócios (Lucas, 2002).

No Brasil, empresas como Belgo-Mineira, Multibrás, Kodak, Motorola, Ambev, Grupo Gerdau, Cimentos Votorantim, entre outras, foram as pioneiras, tendo alcançado bons resultados.

O conceito do seis sigma não é totalmente novo. Combina algumas das melhores ferramentas apresentadas neste livro com rupturas no pensamento gerencial. A origem de seus princípios está fundamentada nas ideias de Shewhart, Deming e Juran, entre outros.

O seis sigma traduz os esforços de melhoria das organizações na meta específica de reduzir defeitos para próximo de zero. Objetiva atingir, em determinados processos, o máximo de 3,4 defeitos por 1 milhão de oportunidades. Orienta-se unicamente pelo entendimento preciso das necessidades dos consumidores, pelo uso disciplinado de fatos, dados e análise estatística e pela atenção ao gerenciamento, à melhoria e à reinvenção dos processos de negócios. O programa seis sigma usa o ciclo Shewhart modificado (PDCA) como estratégia de ruptura.

O sigma é uma letra grega que, na estatística, representa o desvio padrão de uma amostra. Quanto maior a variação dos dados, maior o desvio padrão.

Uma virtude do seis sigma é traduzir o desvio-padrão para uma medida do sucesso: ou o bem ou serviço atende às especificações ou não. Tudo que não atenda às necessidades dos clientes é chamado de defeito.

Se é possível definir e medir as necessidades dos clientes, pode-se, por exemplo, calcular o número de defeitos no processo e nas saídas, bem como o rendimento deste e o percentual de bens e serviços bons. Existem várias tabelas bem simples que permitem que se converta desempenho em níveis sigma (Pande, Neuman e Cavanagh, 2000).

Outra abordagem para determinar o nível sigma consiste no cálculo da quantidade de defeitos ocorridos em atividades de um bem ou serviço em comparação ao número estimado de oportunidades de erros nas mesmas atividades. O resultado dessa operação é chamado de "defeitos por milhão de oportunidades" (DPMO).

Objetivo

Entre os principais objetivos do programa seis sigma, identificamos:

- reduzir o desperdício;
- reduzir o número de defeitos, falhas e erros;
- reduzir a variabilidade dos processos;
- melhorar os produtos;
- diminuir o tempo de ciclo;
- otimizar os estoques;
- obter custos mais baixos;
- melhorar a qualidade;
- satisfazer os clientes;
- aumentar a lucratividade.

Metodologia

Fundamentalmente, o seis sigma é uma metodologia que contribui para a melhoria da qualidade de forma disciplinada (Lucas, 2002). Como essa melhoria é um dos ingredientes da gestão pela qualidade total (GQT), muitas empresas consideram que adicionar uma perspectiva seis sigma em seus negócios lhes dá todos ou quase todos os elementos da GQT.

Se, durante determinado tempo, for exercido controle sobre qualquer processo, medindo-o a cada instante e colocando os pontos em um gráfico, tendo no eixo horizontal a medida que será a faixa de controle e no eixo vertical o número de observações, a tendência desses pontos é que se pareçam com as curvas A ou B apresentadas na figura 15. Trata-se de uma curva de Gauss ou de distribuição normal.

Figura 15

DISTRIBUIÇÃO NORMAL NO DECORRER DO TEMPO

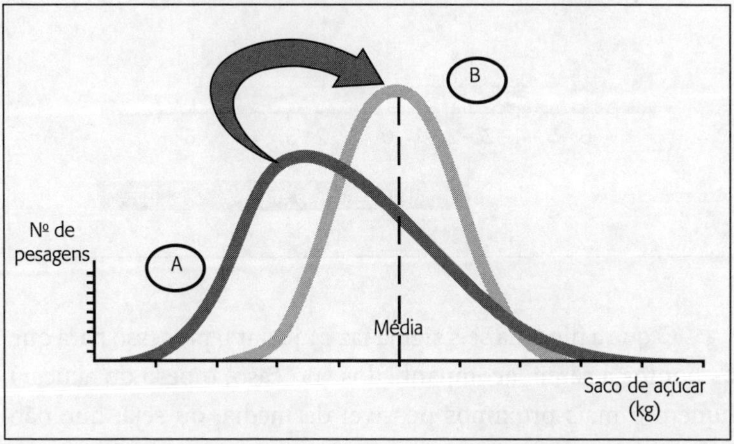

Exemplificando: se for realizado 1 milhão de pesagens de sacos de açúcar de 1 kg e for estabelecido que o limite aceitável de especificação, dado pelo cliente, variará de sacos com 995 g (limite inferior de especificação – LIE) até sacos com 1.005 g (limite superior de especificação – LSE), a curva de pesagem terá uma forma parecida com a da figura. 15.

No início, a curva poderá estar mais para a esquerda (A), mas, conforme ocorra a pesagem, a curva tenderá para a posição B e se consolidará na disposição mostrada na figura 16.

Isso significa que a maioria dos sacos pesados girará em torno de 1 kg e que esta é uma curva com distribuição normal, ou seja, a curva estará disposta em torno da média. Seu desvio padrão, medido em sigmas, significa a distância entre a média de sua curva e seus limites superior e inferior de controle.

Figura 16

DISTRIBUIÇÃO NORMAL NO FINAL DO PERÍODO DE AMOSTRAGEM

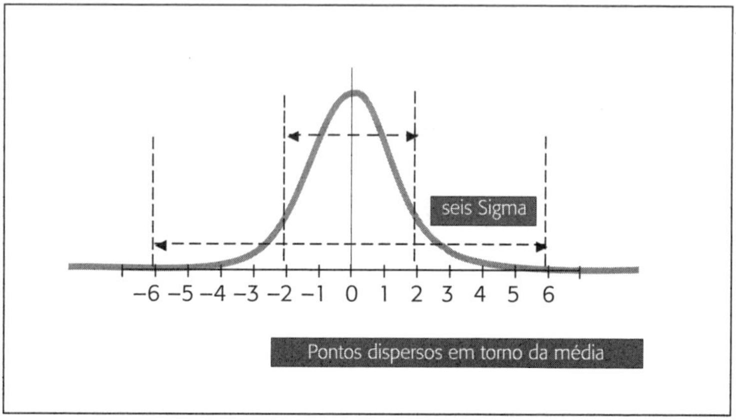

O que a filosofia seis sigma faz é ajustar o processo para que os pontos a serem acompanhados (no caso, o peso do açúcar) fiquem o mais próximos possível da média, ou seja, que não haja muitas variações e que a curva seja o mais normal possível, como na figura 17.

Figura 17

AJUSTE NA CURVA DE DISTRIBUIÇÃO NORMAL

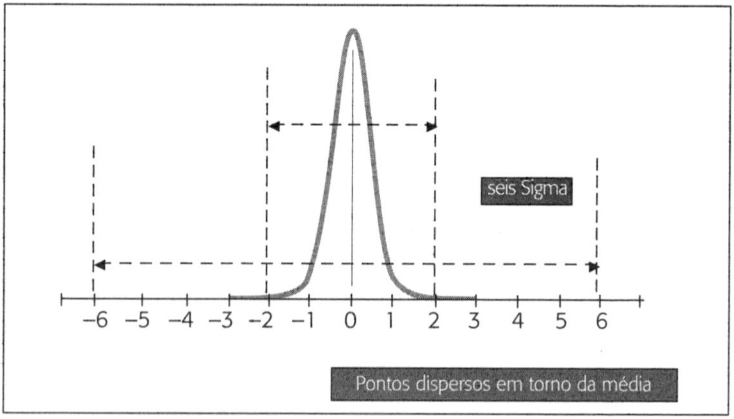

Se uma tabela de distribuição normal com sigma igual a seis for consultada, serão encontradas 0,002 partes por milhão ou duas partes por bilhão. Por conseguinte, a meta de 3,4 partes por milhão estará representada por 4,5 sigmas. Esta é a grande confusão entre o termo seis sigma da academia (dos livros de estatística) e do seis sigma filosofia para organizações.

A justificativa de existir uma mesma denominação para conceitos aparentemente diferentes poderia ter origem semântica, parecendo que a Motorola havia procurado um nome de fácil memorização para causar impacto na organização (Perez-Wilson, 1999). A explicação para a diferença entre 4,5 sigmas e seis sigmas encontra-se em Breyfogle (1999), que analisa a variação justificando que, ao se apontar precisamente para o nível de defeito de 0,002 parte por milhão, está-se vendo apenas uma medição pontual do processo e que, com o correr do tempo, esta variação de 1,5 sigma passa a compensar as variações no processo, atingindo, então, o nível de defeito de 3,4 partes por milhão de oportunidades.

Na figura 18, encontra-se a representação da curva original A, indo até 4,5 sigmas, e sua variação em B e C, atingindo seis sigmas. É representada a curva abrangendo o seis sigma.

Figura 18

DISTRIBUIÇÃO NORMAL DESLOCADA EM 1,5 SIGMA

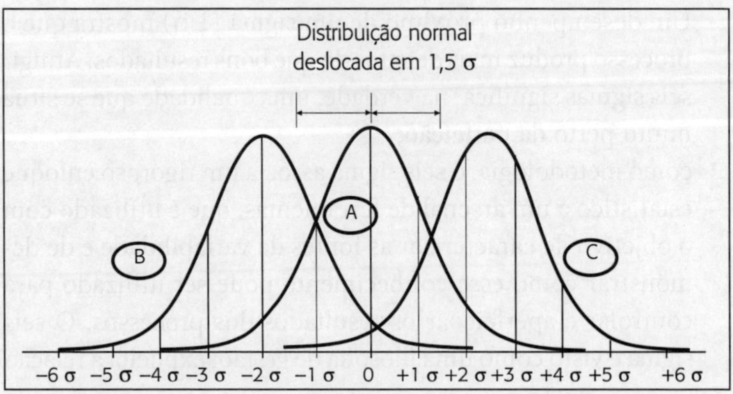

Independentemente das considerações estatísticas, as métricas utilizadas nas organizações que adotaram o seis sigma são descritas na tabela 1, juntamente com os benefícios que cada nível sigma gera em termos de vendas, aproximadamente.

Tabela 1

MÉTRICAS UTILIZADAS NAS ORGANIZAÇÕES QUE ADOTARAM O SEIS SIGMA

Nível sigma	Defeitos por milhão de oportunidades (DPMO)	Custo da qualidade (% das vendas)
2	308.537 (empresas não competitivas)	Não se aplica
3	66.807	25 a 40
4	6.210 (média da indústria)	15 a 25
5	233	5 a 15
6	3,4 (empresas "classe mundial")	< 1

Obs.: Cada variação no "nível sigma" acarreta uma melhora de 10% na receita líquida.

Abordagens de implantação

São utilizadas, normalmente, quatro abordagens para a implantação do seis sigma (Watson, 2000):

- como métrica, o seis sigma é utilizado para medir o desempenho e a variabilidade dos processos. A competitividade da maioria dos negócios está situada entre três e quatro sigmas. Um desempenho próximo de um sigma ($1\ \sigma$) mostra que o processo produz mais defeitos do que bons resultados. Atingir seis sigmas significa, na verdade, uma qualidade que se situa muito perto da perfeição;
- como metodologia, o seis sigma associa um rigoroso enfoque estatístico a um arsenal de ferramentas, que é utilizado com o objetivo de caracterizar as fontes da variabilidade e de demonstrar como esse conhecimento pode ser utilizado para controlar e aperfeiçoar os resultados dos processos. O seis sigma é visto como uma filosofia de gestão; explicita a relação

existente entre o número de defeitos, o custo do desperdício operacional e o grau de satisfação do cliente com os bens e serviços da empresa;

- como filosofia operacional, o seis sigma ajuda a traduzir os objetivos globais da organização em metas de qualidade;
- como cultura, o seis sigma estimula o trabalho em equipe, para que sejam atingidos os mais altos níveis de produtividade e eficácia. Em organizações maduras, a gestão baseada em evidências e a identificação da origem e das causas dos problemas são partes integrantes e obrigatórias da linguagem dos negócios.

Uma implementação bem-sucedida do seis sigma associa conhecimentos estatísticos e técnicos à gestão de processos, estabelecendo onde e como utilizá-los. O seis sigma responde algumas perguntas específicas a respeito do desempenho dos processos, como (Watson, 2000):

- Como funciona o processo atualmente?
- Existem procedimentos?
- Quando são utilizados?
- Quais as fontes conhecidas de variabilidade e seus efeitos sobre a qualidade e o desempenho esperados?
- Qual é o desempenho médio do processo?
- Quais são os desvios no desempenho do processo?
- Os sistemas de medição são capazes de detectar o que impacta na qualidade dos resultados observados?

Membros e suas atividades

Um dos pontos mais importantes para a implementação do programa seis sigma é a capacitação de especialistas, sendo o mais conhecido o *black belt*, que sinaliza a figura do "faixa preta" (Werkema, 2002).

A ideia de se estabelecer um paralelo entre a luta de caratê e a implementação do seis sigma surgiu porque ambas dependem de força, velocidade e determinação, bem como de disciplina mental e treinamento sistemático e intensivo. Os *black belts* dependem, basicamente, dos recursos alocados por suas empresas, de sua própria concentração mental e de agilidade para tocar múltiplos projetos e concluí-los rapidamente.

Cada um desses profissionais, adequadamente treinado, pode completar de quatro a seis projetos por ano, ou um projeto a cada dois ou três meses. A duração de cada projeto depende da complexidade, da disponibilidade de equipamentos de medição apropriados e da verba alocada.

É fundamental que o futuro *black belt* possua capacidade de liderança. Um dos maiores desafios de um *black belt* é fazer com que outras pessoas pratiquem novas formas de trabalho. Seu foco deve se concentrar em ensinar e auxiliar os colaboradores da organização na análise e no controle dos processos em que atuam. Seu tempo deve ser destinado a estudar, pensar e aprender como inovar na solução de problemas e no aumento da lucratividade.

Outros membros do processo são:

- *champions:* gestores que definem a direção que o seis sigma irá tomar e que têm a responsabilidade de apoiar os projetos e remover possíveis barreiras ao seu desenvolvimento;
- *master black belts:* profissionais que atuam em tempo integral como mentores dos *black belts* e que assessoram os *champions*;
- *green belts:* profissionais que participam das equipes lideradas pelos *black belts* na condução dos projetos seis sigma.

Embora dite a regra que a proporção adequada deva ser um *black belt* para cada 100 empregados e um *master black belt* para cada 100 *black belts*, implementações recentes sugerem que a razão entre *black belts* e *master black belts* deve ser próxima de 10 para 1 (Lucas, 2002). A avaliação rigorosa dos projetos permite que o número de *black belts* seja estabelecido criteriosamente, pois, como os projetos são de grande retorno, não costuma haver muitos em desenvolvimento ao mesmo tempo.

Um projeto seis sigma requer um período de gestação de dois a três meses, desde sua caracterização até a finalização da análise do problema. A duração do projeto depende da disponibilidade de dados ou da infraestrutura requerida para realizar os experimentos. Os benefícios são visíveis um mês após a conclusão do projeto e dependem da agressividade do "dono" do processo na sustentação dos resultados obtidos.

Ciclo Dmaic e suas variações

Entre as diversas ferramentas utilizadas no programa seis sigma, podem-se citar o mapeamento de processos, a análise de sistemas de medição, ferramentas de controle estatístico de processos (CEP), todas integradas numa metodologia baseada no PDCA, que, no programa seis sigma, é conhecida como *define, measure, analyze, improve e control* (Dmaic).

A metodologia Dmaic também é cíclica, como o PDCA, e é composta pelas seguintes fases:

- *D* – define *(definir)*: definir o escopo do projeto;
- *M* – measure *(medir)*: determinar indicadores apropriados para medir o projeto;
- *A* – analyze *(analisar)*: determinar as causas de cada problema definido;
- *I* – improve *(melhorar)*: propor, avaliar e implementar soluções para cada problema prioritário;
- *C* – control *(controlar)*: garantir a perpetuação das mudanças.

No quadro 7 são descritas as etapas do DMAIC com as respectivas principais ferramentas, já discutidas no capítulo 3.

Quadro 7

Etapas do DMAIC

D – Definir	Na primeira fase (D), a equipe do projeto entra em acordo sobre o que ele é e o que se pretende como resultado. Todos na equipe devem estar cientes de qual é o problema e como os clientes estão sendo afetados por ele. Nesta fase, todos precisam definir, com total exatidão, o escopo do projeto, bem como qual é exatamente o benefício que esperam. Principais ferramentas utilizadas nesta fase: brainstorming, matriz GUT, técnica do grupo nominal, diagrama de causa e efeito, gráfico de Pareto, histograma, matriz de priorização e carta de controle.
M – Medir	Na segunda fase (M), todos precisam estar cientes de que a medição é a razão de ser da filosofia seis sigma e que uma medição benfeita, com indicadores apropriados, é o caminho para o sucesso do projeto. Os indicadores é que vão permitir mensurar qual a real situação do problema antes e depois de o projeto terminar. Os indicadores demonstram as melhorias implementadas nos processos. Principais ferramentas utilizadas nesta fase: brainstorming, estratificação, folha de verificação, gráfico de Pareto, carta de controle e histograma.
A – Analisar	O objetivo da terceira fase (A) é confirmar a validade de todos os indicadores levantados na fase anterior e usar esses dados para ratificar a fonte de atrasos, desperdícios e falta de qualidade. Nesta etapa, também são verificados os padrões que serão seguidos na fase seguinte (melhoria). Principais ferramentas utilizadas nesta fase: fluxograma, mapa de processo, *failure mode and effect analysis* (FMEA), histograma, estratificação, brainstorming, diagrama de causa e efeito e diagrama de afinidades.
I – Melhorar	Esta fase (I) objetiva fazer as mudanças necessárias no processo, de maneira que este atenda aos objetivos previstos na primeira fase. É prudente não modificar todas as atividades do processo-alvo, e sim fazer o teste em um processo-piloto, no qual as oportunidades de melhoria poderão ser bem acompanhadas, evitando que haja qualquer desperdício se as propostas de mudança não atingirem seus objetivos. Principais ferramentas utilizadas nesta fase: brainstorming, diagrama de causa e efeito, diagrama de afinidades, FMEA e 5W2H.
C – Controlar	A última fase é a mais importante, pois ela permitirá a continuidade do programa de melhoria. Na fase C, precisa-se ter a certeza de que os ganhos serão preservados. Para que isso seja possível, todos os procedimentos deverão ser documentados, bem como os resultados quantificados e, preferencialmente, convertidos em moeda forte, para que todos tenham consciência das vantagens de um projeto bem-sucedido. Há, também, obrigatoriedade de se criar um plano de controle bem delineado, para que todas as variações no processo sejam acompanhadas e possíveis desvios sejam corrigidos. Principais ferramentas utilizadas nesta fase: gráfico de Pareto, histograma, Poka-Yoke (metodologia à prova de erros) e carta de controle.

O seis sigma também é utilizado em serviços, através do *design for six sigma* (DFSS). A evolução dos processos de gerenciamento da qualidade parece ter sido focada em qualidade nos processos da indústria, mas, nos últimos tempos, tem havido um grande esforço em aplicar os conceitos de gerenciamento da qualidade nos projetos de serviços.

De acordo com El-Haik e Roy (2005), somente empresas que têm um desenvolvimento maduro na filosofia e métodos do seis sigma conseguem ver que o esforço para realização de projetos DFSS são, na verdade, um investimento, e não mais uma despesa.

DFSS para serviços é uma abordagem estruturada, direcionada por dados para projetar todas as fases dos processos dos serviços na organização e que garante que os novos projetos se ajustem aos requisitos do consumidor no seu lançamento (El-Haik e Roy, 2005).

Algumas das ferramentas que podem ser utilizadas para complementar um projeto DFSS são o desdobramento da função qualidade (*Quality Function Deployment* – QFD) e a análise do modo e efeito de falhas (*Failure Mode and Effects Analysis* – FMEA), que apresentaremos no capítulo 8 deste livro.

Diferentemente da metodologia Dmaic, as fases ou passos do DFSS podem ter várias abordagens dependendo de quem aplica os treinamentos e, por conseguinte, de qual o objetivo previsto.

O nível sigma a ser atendido pode variar de quatro (6.210 DPMO) até seis (3,4 DPMO) e ser considerado um bom nível, desde que este seja o nível que atenda à qualidade esperada pelo consumidor.

Conforme diagrama apresentado na figura 19, o DFSS se baseia em quatro fases – identificar, caracterizar, otimizar e validar – cujo acrônimo é representado pelo termo Icov.

Figura 19

Ciclo DFSS

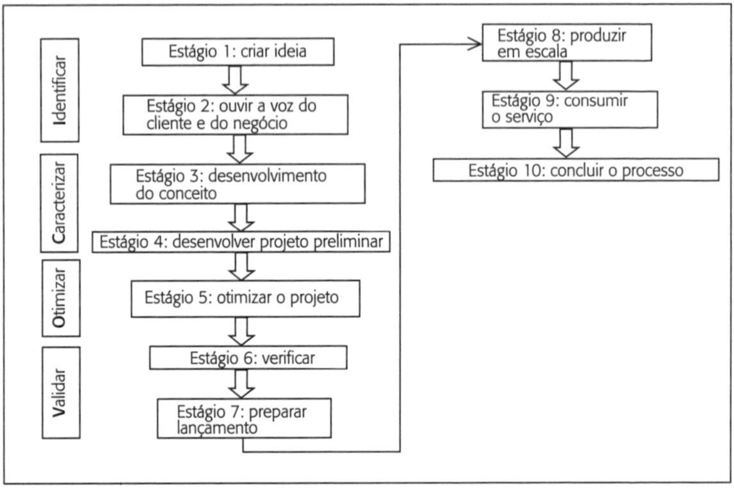

Fonte: Adaptado de El-Haik e Roy (2005).

Essas quatro fases compreendem sete estágios de desenvolvimento:

- o estágio 1 se inicia com uma ideia inovadora ou ideia para solucionar um problema; a partir desta centelha, o cliente é consultado;
- no estágio 2 utiliza-se o QFD para incorporar a voz do cliente ao processo e ao produto;
- no estágio 3 o time de projetos deverá ter produzido algumas soluções;
- no estágio 4 deve-se analisar as soluções apresentadas;
- no estágio 5 o time do projeto poderá acatar a pertinência da maioria das soluções apresentadas, que, então, serão aprofundadas e otimizadas, podendo ser determinísticas ou aleatórias em sua natureza. Do ponto de vista estatístico, haverá a busca de fatores que possam afetar o desempenho, tais como perfil de utilização do cliente, meio ambiente e variações em geral.

Neste estágio, o time precisa produzir uma documentação detalhada da solução considerada ótima;

- o estágio 6 será o momento de fazer um modelo, assumindo a viabilidade do projeto – um protótipo do que será o produto do projeto, que poderá ser uma simulação do serviço, por exemplo;
- no estágio 7 deverá haver a produção do serviço a ser oferecido;
- nos estágios 8, 9 e 10 há a efetiva complementação de todo o processo, bem como sua avaliação e indicação de possíveis ajustes a serem feitos.

Neste capítulo, foi apresentada a filosofia seis sigma, suas métricas e metodologias Dmaic e DFSS para serviços baseadas no PDCA. A importância de sua implantação para as organizações contemporâneas foi demonstrada no capítulo pelas economias e ganhos de produtividade em seus processos.

No capítulo a seguir, será apresentado o modelo de gestão da qualidade proposto pela ISO, que tem seu destaque por consistir em um modelo alcançado por meio de consenso e aceitação pelos países que representam uma parcela expressiva do produto interno bruto (PIB) mundial. Daí sua importância no cenário mundial.

5 Normas ISO 9000

Neste capítulo, prezado leitor, serão apresentadas as normas ISO e outras normas de requisitos de sistemas de gestão que compõem um sistema de gestão da qualidade e os cada vez mais comuns sistemas integrados de gestão.

Os preceitos elaborados no âmbito da ISO, especialmente as NBR ISO 9000, possuem um papel muito importante no mundo globalizado, devido ao seu reconhecimento internacional no que diz respeito às relações contratuais entre organizações, melhoria para a sociedade e indivíduos, criando uma linguagem comum em termos de sistemas de gestão, de produção e de especificação de bens e serviços.

As normas ISO 9000 revelam um consenso mundial sobre sistemas de gestão da qualidade e, hoje, formam, junto com outras normas, os chamados sistemas de gestão integrados, que tanto influenciam o cotidiano de diversas organizações.

Histórico

Em reunião em Londres, em 1946, representantes de 25 países decidiram criar uma organização internacional com o objetivo de facilitar, em nível mundial, a coordenação e a unificação de normas industriais e de serviços.

Essa organização, com sede em Genebra, Suíça, começou a funcionar oficialmente em 23 de fevereiro de 1947, com a denominação International Organization for Standardization (ISO),[1] ou Organização Internacional de Normalização.

A ISO é uma organização não governamental internacional, que reúne mais de uma centena de organismos nacionais de normalização. Representa países que respondem por cerca de 95% do PIB mundial.

A ISO tem por objetivo promover o desenvolvimento da padronização e de atividades correlacionadas, de forma a possibilitar o intercâmbio econômico, científico e tecnológico em níveis mais acessíveis aos aludidos organismos (Marshall Jr., 2001). Concilia interesses de produtores, usuários, governos e da comunidade científica na preparação de normas internacionais.

Todo trabalho é realizado por intermédio de mais de 2.600 grupos técnicos, compostos por mais de 20 mil especialistas de todo o mundo, que participam anualmente dos comitês técnicos da ISO, dos quais já resultou a publicação de mais de 20 mil normas desde a fundação da organização.

Normalização

Como definido pela Associação Brasileira de Normas Técnicas (ABNT),

---

[1] É comum notar a falta de correspondência entre a sigla oficial ISO e o nome International Organization for Standardization. Não deveria ser IOS? De fato, "iso" é uma palavra derivada do grego isos, significando "igual", que deu origem ao prefixo "iso", utilizado em grande quantidade de termos (por exemplo, isométrico e isonomia). Além disso, a sigla tem a vantagem de ser válida nos dois idiomas oficiais da organização: inglês e francês. Outro ponto interessante é que, no inglês (britânico), escreve-se *standardisation* e organisation, com "s" em lugar de "z".

normalização é uma atividade que estabelece, em relação a problemas existentes ou potenciais, prescrições destinadas à utilização comum e repetitiva, com vistas à obtenção do grau ótimo de ordem em um dado contexto.[2]

Os objetivos da normalização são, ainda de acordo com a ABNT:

- ❑ economia: proporcionar a redução da crescente variedade de produtos e procedimentos;
- ❑ comunicação: proporcionar meios mais eficientes de troca de informações entre o fabricante e o cliente, melhorando a confiabilidade das relações comerciais;
- ❑ segurança: proteger a vida e a saúde;
- ❑ proteção do consumidor: prover a sociedade de meios eficazes para aferir a qualidade dos bens e serviços;
- ❑ eliminação de barreiras técnicas e comerciais: evitar a existência de regulamentos conflitantes sobre bens e serviços em diferentes países, facilitando, assim, o intercâmbio comercial.

Na prática, a normalização está presente na elaboração dos produtos (bens ou serviços), na transferência de tecnologia e na melhoria da qualidade de vida, por meio de normas relativas à saúde, à segurança e à preservação do meio ambiente, entre muitas outras.

Normas pioneiras

O padrão de referência internacional para a normalização de sistemas da qualidade só foi possível com o surgimento das

[2] Disponível em: <www.abnt.org.br/m3.asp?cod_pagina=931>. Acesso em 3 dez. 2011.

normas British Standard BS 4891 e BS 5179, que tinham caráter de código de práticas, sem qualquer aplicação em situações contratuais, mas que, em 1979, orientaram o surgimento da norma BS 5750, que continha, na sua parte 1, uma especificação para sistema da qualidade, e nas partes 2 e 3, especificações para sistemas de inspeção. A parte 1 da BS 5750 começou a ser usada em relações contratuais.

O British Standard Institute (BSI) iniciou, então, um processo de certificação de terceira parte, para avaliar e cadastrar organizações que estivessem em conformidade com os requisitos dessa norma.

Em 1987, seguindo a evolução natural das normas pioneiras, a ISO lançou as normas NBR ISO 9000 (NBR ISO 9000, NBR ISO 9001, NBR ISO 9002 e NBR ISO 9003), sendo que, atualmente, as normas de certificação foram unificadas apenas na ISO 9001.

Todas as NBRs citadas foram baseadas nas normas britânicas da qualidade e nas experiências e contribuições de especialistas e representantes de diversos países. A partir deste trabalho conjunto, conseguiu-se superar divergências quanto à terminologia, conceitos e práticas, chegando a um resultado que pode ser considerado um marco histórico na evolução da garantia e da gestão da qualidade quando, então, essas normas começaram a evoluir.

Em 1994, foi realizada a primeira revisão geral, a fim de melhorar sua interpretação e garantir a inclusão dos aspectos preventivos da garantia da qualidade. Essa revisão foi considerada superficial, pois foram feitas apenas pequenas adequações formais, visando antecipar as grandes alterações previstas para o ano 2000.

Em 2000, ocorreu a segunda revisão, mais significativa, tendo maior ênfase não só os aspectos industriais como também os de serviços. Esta mudança pode ser percebida pela alteração no título da norma. Na versão de 1994, a NBR ISO 9001 era denominada "Sistemas da qualidade – Modelo para garantia da qualidade", passando, na versão 2000, para "Sistemas de gestão da qualidade – Requisitos". A versão 2000 passou a dar maior ênfase à garantia da qualidade para o cliente, além de aprofundar as exigências para a demonstração de comprometimento da administração.

Em 2008, ocorreu uma nova revisão da NBR ISO 9001, aprimorando os requisitos da versão anterior. A versão 2008 manteve o mesmo título da anterior, o que demonstrou consenso mundial sobre a especificação de sistemas de gestão da qualidade. A coleta de dados sobre satisfação de clientes é enfatizada e tornada sistemática e contínua. Esta versão 2008 é mais acessível e fácil de usar, além de estar mais adaptada à realidade das organizações e dos negócios. Especificamente, ela privilegia o foco no cliente, incitando a organização a ter uma maior compreensão de suas necessidades e expectativas. A melhoria contínua da satisfação do cliente passa a ser uma necessidade.

Não só as normas NBR ISO 9000, mas, de modo geral, todas as normas da ISO – quase 20 mil – requerem revisões periódicas. Vários fatores provocam a sua obsolescência, como, por exemplo, a evolução tecnológica, novos métodos e materiais, novos requisitos de qualidade e segurança, entre outros.

Levando em consideração esses fatores, a ISO estabeleceu que as normas devem ser revisadas em intervalos inferiores a cinco anos.

Essas revisões periódicas provocam uma constante adaptação nas atividades de certificação, pois as organizações certificadas precisam adaptar e melhorar seus sistemas de gestão para incluir os novos requisitos, que são inseridos nas normas de referência. A certificação passa, então, a ser uma atividade dinâmica, que proporciona à organização oportunidades de melhoria consideráveis.

Tendo em vista que esse modelo é sistematicamente atualizado, sugere-se a você, leitor, a consulta ao site <www.abnt.org.br>, da ABNT, onde são oferecidas informações atualizadas e complementares a respeito da temática.

A ABNT, a Copant e a AMN

Fundada em 1940, a ABNT é uma entidade privada, sem fins lucrativos, considerada o único fórum de normalização, em âmbito nacional, pela Resolução nº 7 do Conselho Nacional de Metrologia, Normalização e Qualidade Industrial (Conmetro), de 24 de agosto de 1992. É responsável pela produção de normas nacionais e pela representação brasileira na ISO. Os documentos normativos de caráter consensual aprovados pela ABNT são considerados normas brasileiras (NBR).

A ABNT é membro fundador da ISO, da Comissão Pan-Americana de Normas Técnicas (Copant) e da Associação Mercosul de Normalização (AMN). É a única e exclusiva representante, no Brasil, das entidades internacionais International Organization for Standardization (ISO) e International Electrotechnical Commission (IEC) e de entidades de normalização regional, como a Copant e a AMN.

O Comitê Brasileiro da Qualidade (CB-25) é o comitê da ABNT responsável pela elaboração e divulgação das normas de gestão da qualidade propostas pelo Comitê Técnico TC-176 (comitê técnico da ISO responsável pela normalização na área da qualidade). O CB-25 adotou, como uma de suas estratégias, estruturar-se de forma idêntica ao NBR ISO/TC-176, desde o presidente do comitê até os grupos de trabalho.

Outra estratégia foi estabelecer um esquema de trabalho que proporcionasse maior participação brasileira no ISO/TC-176, seja comparecendo às reuniões internacionais, estudando os acordos que estão sendo discutidos e assumindo uma posição nacional, a fim de entender profundamente os documentos gerados, seja influenciando o conteúdo desses documentos, para preservar e defender os interesses e as necessidades do Brasil.

Esse aspecto é muito importante, pois as normas NBR ISO 9000 têm grande influência nas relações comerciais entre os países e, portanto, podem tornar-se barreiras técnicas que, futuramente, inviabilizariam transações comerciais internacionais do Brasil.

Modelo das normas e requisitos

O modelo das normas NBR ISO 9000 é baseado em seus próprios propósitos e princípios. Estes norteiam o estabelecimento dos requisitos de cada seção da norma que, finalmente, orientam as organizações a estabelecerem processos e práticas necessários para se implementar um sistema de gestão da qualidade.

Propósitos e princípios

As normas NBR ISO 9000 baseiam-se nos seguintes propósitos:

- resolver as dificuldades encontradas pelos pequenos negócios, que não dispõem de especialistas ou de departamentos de gestão da qualidade com conhecimento suficiente para interpretar os requisitos da norma e implementá-los adequadamente;
- adequar as normas às necessidades dos setores emergentes, mais especificamente os setores de serviços, como saúde, educação, tecnologia da informação, entre outros, uma vez que as normas da versão anterior, apesar de aplicáveis a esses setores, possuíam um viés de indústria;

- reduzir o número de diretrizes que foram surgindo, com o objetivo de esclarecer sua aplicação, quer para setores específicos, quer para diferentes portes de organizações ou para categorias de produtos;
- contemplar a evolução das necessidades dos usuários e clientes, as quais sofreram profundas modificações nas duas últimas décadas;
- adequar a estrutura da norma e o conteúdo dos requisitos à gestão orientada para processos, que, modernamente, orienta a estrutura da maioria das organizações;
- orientar a gestão das organizações, além da certificação ou do registro de seus sistemas de gestão da qualidade, na direção da melhoria do desempenho;
- possibilitar a implementação integrada de múltiplos sistemas gerenciais, notadamente dos sistemas de gestão ambiental, objeto da norma NBR ISO 14001.

A norma NBR ISO 9001 contempla oito princípios de gestão da qualidade:

- foco no cliente;
- liderança;
- envolvimento de pessoas;
- abordagem de processos;
- abordagem sistêmica da gestão;
- melhoria contínua;
- abordagem factual para a tomada de decisões;
- relacionamento mutuamente benéfico com fornecedores.

Com base nesses propósitos e princípios foram aprovadas as seguintes normas:

- NBR ISO 9000: Sistemas de gestão da qualidade – Fundamentos e vocabulário;
- NBR ISO 9001: Sistemas de gestão da qualidade – Requisitos;

- NBR ISO 9004: Sistemas de gestão da qualidade – Gestão para o sucesso sustentado de uma organização – Uma abordagem da gestão da qualidade.

Seções e requisitos da NBR ISO 9001

As seções e os requisitos que compõem a NBR ISO 9001, bem como seus principais elementos constituintes, são descritos a seguir.

Seção 0 – Introdução
Esta seção trata da importância de uma decisão estratégica para mostrar a adoção de um sistema de gestão. Destaca, também, a possibilidade de a organização utilizar a norma para avaliar sua capacidade de atender aos requisitos do cliente, tanto os regulamentares quanto os da própria organização. É importante frisar que a abordagem de processo e a compatibilidade com outras normas são pontos fortes da versão 2008.
Seção 1 – Objetivo
O objetivo desta norma é especificar os requisitos de um sistema de gestão da qualidade. Esses requisitos são usados para que uma organização demonstre sua capacidade de fornecer produtos ou serviços de acordo com os requisitos do cliente e quanto pretende aumentar a satisfação do cliente.
Seção 2 – Referências normativas
Esta seção lista as normas citadas no corpo da norma e serve de referência para consultas de esclarecimento e aprofundamento dos requisitos e conceitos.
Seção 3 – Termos e definições
Esta seção trata dos fundamentos e do vocabulário de um sistema de gestão da qualidade. Por exemplo, qualidade é definida como o grau em que um conjunto de características inerentes satisfaz requisitos.
Seção 4 – Sistema de gestão da qualidade
Esta seção apresenta os requisitos gerais de um sistema de gestão da qualidade. Abrange todo o modelo de processo na sua integração horizontal e vertical. Os principais elementos desta seção contemplam a elaboração do manual da qualidade, o controle de documentos e o controle de registros da qualidade. Portanto, a organização deve identificar os processos necessários ao sistema de gestão da qualidade e à sua aplicação, determinando sua sequência e interação. Deve, também, especificar os critérios e métodos necessários para que a operação e o controle desses processos sejam eficazes, assegurando a disponibilidade de recursos e informações para apoiar a operação e o monitoramento, medindo, analisando e implementando ações para atingir os resultados planejados e a melhoria contínua desses processos.

A documentação do sistema de gestão da qualidade deve incluir declarações documentadas da política e dos objetivos da qualidade, contendo o manual da qualidade, com o escopo com exclusões justificadas, referências aos procedimentos e descrição das interações dos processos (ver ABNT NBR ISO/TR 10013 – Diretrizes para a documentação de sistemas de gestão da qualidade) e procedimentos documentados requeridos pela norma de referência, além dos documentos necessários à organização para assegurar o planejamento, a operação e o controle eficazes de seus processos e registros que comprovem que uma atividade foi realizada.

Antes de serem emitidos, os documentos devem ser aprovados quanto à sua adequação. Devem ser analisados criticamente, atualizados e, quando necessário, reaprovados. Deve-se assegurar que alterações e a situação da revisão atual dos documentos sejam identificadas e que as versões pertinentes de documentos aplicáveis estejam disponíveis nos locais de uso. Os documentos devem permanecer legíveis e prontamente identificáveis. Os documentos de origem externa devem ser identificados e sua distribuição deve ser controlada, evitando-se o uso não intencional de documentos obsoletos. Por fim, deve-se aplicar identificação adequada nos casos em que forem retidos por qualquer propósito.

Seção 5 – Responsabilidade da direção

Nesta seção, são citadas todas as práticas que permitem garantir a capacidade de análise da funcionalidade do sistema, sua melhoria contínua, além de promover as necessárias modificações no sistema de qualidade, na política da qualidade e nos objetivos e metas de qualidade.

A seção subdivide-se em: compromisso da direção, foco no cliente, política da qualidade, planejamento, responsabilidade, autoridade e comunicação, e análise crítica pela direção.

É muito importante frisar que a direção deve assegurar que os objetivos da qualidade, incluindo aqueles necessários para atender aos requisitos do produto, sejam estabelecidos nas funções e nos níveis pertinentes da organização. Esses objetivos devem ser mensuráveis e coerentes com a política da qualidade e amplamente divulgados para todos os níveis da organização e para as partes interessadas, demonstrando o compromisso do alto escalão da organização com a política de qualidade adotada, isto é, não criando expectativas sobre o que não se pode medir e divulgar.

Seção 6 – Gestão de recursos

Focaliza a disponibilização dos recursos necessários, incluindo pessoal capacitado, treinamento, instalações e ambiente de trabalho adequados.

Esta seção inclui, como principais elementos, a noção de provisão de recursos, recursos humanos, competência, conscientização e treinamento, infraestrutura e ambiente de trabalho.

Seção 7 – Realização do produto

Esta seção é a mais extensa, pois contempla o *core business* da organização. Compreende o planejamento, o desenvolvimento, a fabricação e os acompanhamentos necessários à adequada execução do produto ou serviço.

A realização do produto compreende as etapas descritas a seguir.

7.1 Planejamento da realização do produto
O planejamento da realização do produto, que consiste nos processos, objetivos e requisitos do produto da organização. Determina o estabelecimento das atividades de verificação, validação, monitoramento, inspeção e ensaio e dos critérios para aceitação. Deve-se, também, planejar os registros necessários para fornecer evidência de atendimento dos requisitos. Para empreendimentos específicos, podem-se utilizar planos da qualidade ou projetos para empreendimentos temporários.
7.2 Processos relacionados a clientes
Neste subitem, a organização deve estabelecer processos para determinação de requisitos relacionados ao produto, a análise crítica destes e a comunicação com o cliente.
7.3 Projeto e desenvolvimento
Neste subitem, a organização deve estabelecer processos para o planejamento do projeto e desenvolvimento, suas entradas e saídas, realizar a análise crítica de todo processo, além de realizar a verificação, a validação e o controle de alterações dos requisitos envolvidos.
7.4 Aquisição
Neste subitem, a organização deve estabelecer o processo de aquisição, incluindo todo o tratamento adequado para as informações de aquisição e verificação do produto adquirido.
7.5 Produção e fornecimento de serviços
A organização deve estabelecer práticas para controle de produção e fornecimento de serviço, validação dos processos de produção e fornecimento de serviço, identificação e rastreabilidade, lidar com propriedade do cliente e preservação do produto.
7.6 Controle de dispositivos de medição e monitoramento
Neste subitem, a organização dever planejar, documentar e gerenciar todos os equipamentos e dispositivos utilizados para medição dos produtos e processos, provendo o monitoramento, aferição e calibração dos mesmos.
8 – Medição, análise e melhoria
Esta seção tem como objetivo o acompanhamento dos resultados por meio de monitoramento interno, que engloba: auditorias internas, medição e acompanhamento dos processos, dos produtos e dos serviços realizados, controle das não conformidades, análise de indicadores e planejamento da melhoria contínua. Os principais elementos desta seção são: medição e monitoramento, controle de produtos não conformes, análise de dados e melhorias – melhoria contínua, ações corretivas e ações preventivas. A satisfação dos clientes deve ser acompanhada e melhorada por meio das medições do desempenho do sistema de gestão da qualidade; a organização deve monitorar informações relativas à percepção do cliente sobre se a organização atendeu aos requisitos do cliente. Os métodos para obtenção e uso dessas informações devem ser determinados.

Neste item, também é pedido que a organização execute auditorias internas a intervalos planejados, para determinar se o sistema de gestão da qualidade está em conformidade com o que foi projetado, alcançando os resultados de melhoramento contínuo desejados pela organização.

Certificação

A necessidade de as organizações comunicarem aos seus clientes e ao mercado a adequação de seu sistema de gestão da qualidade às normas de referência originou a atividade de certificação de terceira parte, substituindo, em grande escala, uma certificação de segunda parte, ainda existente em grandes organizações, na qual clientes certificam seus fornecedores, com base em requisitos específicos.

A certificação de terceira parte é um conjunto de atividades desenvolvidas por um organismo independente, sem relação comercial, com o objetivo de atestar publicamente, de forma registrada, que determinado sistema de gestão está em conformidade com os requisitos especificados, sejam estes requisitos nacionais ou internacionais.

Com o objetivo de avaliar a referida conformidade, a manutenção, a melhoria contínua e a eficácia do sistema de gestão como um todo e do produto (bens ou serviços), as atividades de certificação podem envolver:

- análise de documentação;
- auditorias e inspeções na organização;
- coleta e ensaios de produtos, no mercado ou na fábrica.

A certificação de uma organização não pode ser planejada como uma ação isolada e pontual, e sim como um processo que se inicia com a conscientização da necessidade da qualidade para a manutenção da competitividade e consequente permanência no mercado, passando pela utilização de normas técnicas e pela difusão do conceito da qualidade por todos os setores da organização, abrangendo seus aspectos operacionais internos e o relacionamento com a sociedade e o ambiente.

Sistema de gestão da qualidade

O sistema de gestão da qualidade de uma organização é composto, basicamente, de um manual da qualidade e de procedimentos que orientam como executar determinadas tarefas, detalhando os processos e as responsabilidades a eles associados.

A manutenção de registros que comprovem *se* e *como* determinada atividade foi executada é um fator importante para melhorar os processos.

Basta, portanto, que a organização documente o que faz, como faz e comprove a execução por meio de registros, que serão mais tarde usados para melhorar todo o sistema de gestão da qualidade.

Os requisitos da norma NBR ISO 9001 (Sistemas de gestão da qualidade – Requisitos) visam prevenir a ocorrência de não conformidades em qualquer fase do ciclo de produção de um bem ou serviço, desde o planejamento até a entrega, instalação, assistência técnica e demais atividades pós-venda.

As normas NBR ISO 9000 tratam da gestão da qualidade em uma organização. A norma NBR ISO 9001, mais especificamente, serve para que as partes envolvidas em uma relação contratual tenham confiança de que os requisitos acordados serão consistentemente atingidos e de que o sistema de gestão da qualidade será continuamente aprimorado. Para tanto, o cliente potencial requer, normalmente, a certificação do sistema de gestão da qualidade da organização vendedora.

Razões para implementação da NBR ISO 9001

As razões que costumam levar uma organização a implementar um sistema de gestão da qualidade são:

- conscientização da direção;
- exigências externas;
- modismo.

Certamente, a conscientização da direção é o melhor caminho para uma implementação eficaz. Nesse caso, ela participa ativamente do processo, mostrando-se comprometida com ele e envolvendo a todos. As barreiras interdepartamentais são superadas, dada a existência de um projeto comum que representa uma vantagem competitiva para a organização.

Quando a organização é obrigada a implantar um sistema de gestão da qualidade por pressões externas, como exigência de um cliente, participação em licitações e entrada em novos mercados, o processo se torna mais traumático e difícil.

O modismo é o pior caminho, pois o processo de implantação das normas requer constância de propósito para enfrentar as diversas dificuldades que surgirão ao longo da busca de obtenção do certificado.

Além disso, o certificado deve ser renovado a períodos regulares, o que requer um constante comprometimento da direção.

A organização deve se preocupar, também, com a conscientização de todos os colaboradores, com a formação de equipes de trabalho, com a divulgação periódica dos resultados, com o desenvolvimento das pessoas da organização e com as atividades de controle e acompanhamento.

Benefícios da implantação da NBR ISO 9001

Entre os diversos benefícios proporcionados pela implantação de um sistema de gestão qualidade com base na NBR ISO 9001, podem-se destacar:

- redução de não conformidades de bens e serviços;
- eliminação do retrabalho e do custo com garantia e reposição;
- aumento da competitividade;
- redução do custo operacional;
- maior sustentação em disputas judiciais;
- melhoria de imagem e reputação;
- aumento da participação no mercado nacional e em mercados internacionais;
- melhor relacionamento técnico e comercial com o cliente;
- maior integração entre os processos e departamentos da organização;
- melhor desempenho organizacional pela promoção do treinamento, da qualificação e da certificação do pessoal.

O cliente e a sociedade também obtêm benefícios, entre os quais se destacam:

- melhor relacionamento técnico e comercial com o fornecedor;
- aumento da segurança, da confiabilidade e da disponibilidade dos bens ou serviços adquiridos;
- maior proteção para o consumidor;
- menor desperdício e poluição;
- promoção do incremento no desenvolvimento tecnológico da organização.

Integração NBR ISO 9001 e NBR ISO 9004

A NBR ISO 9001 e NBR ISO 9004 são complementares e devem ser implementadas de forma integrada. Enquanto a primeira especifica os requisitos de um sistema de gestão da qualidade que podem ser utilizados na certificação da organização e em situações contratuais, a segunda reforça os fundamentos da gestão para o sucesso sustentável da organização.

Quando a norma NBR ISO 9004 é combinada com a NBR ISO 9001, os objetivos de satisfação do cliente e qualidade do produto são ampliados para considerar a satisfação das partes interessadas (clientes, acionistas, colaboradores, fornecedores e sociedade) e o desempenho da organização.

A NBR ISO 9004 fornece orientação para um sistema de gestão da qualidade com objetivos mais amplos, principalmente em relação à melhoria contínua do desempenho global de uma organização e sua efetividade, colaborando para o sucesso sustentado de uma organização. Também é recomendada para servir de orientação a organizações cuja direção deseje ir além dos requisitos estabelecidos na NBR ISO 9001.

A NBR ISO 9004 não tem propósitos de certificação ou finalidade contratual; apenas apresenta o caminho indicado pela ISO para a gestão da qualidade total e para a gestão de práticas sustentáveis de uma organização. Esses caminhos normalmente incluem preocupações com saúde, segurança e meio ambiente, formando o que se chama de um sistema integrado de gestão.

Auditoria

Um programa de auditoria deve ser planejado, levando em consideração a situação e a importância dos processos e as áreas a serem auditadas, bem como os resultados de auditorias anteriores.

Os critérios da auditoria, escopo, frequência e métodos devem ser definidos e divulgados para o auditado, de forma a provocar melhorias antecipadas em seu sistema de gestão da qualidade.

A seleção dos auditores e a execução das auditorias devem assegurar objetividade e imparcialidade do processo de auditoria. Os auditores não devem auditar seu próprio trabalho.

Como fonte de consulta para a realização de auditorias de sistemas de gestão da qualidade e ambientais, qualificação e seleção de auditores, aconselha-se utilizar a norma NBR ISO 19011 (Diretrizes para auditorias de sistemas de gestão da qualidade e/ou ambiental).

As normas NBR ISO 9000, por também serem utilizadas em situações contratuais, pressupõem a realização de auditorias pelo cliente. Face à multiplicação dessas exigências, tornou-se natural admitir a situação em que um organismo independente, reconhecido por todos, efetuasse essas auditorias, que seriam, assim, aceitas, facilitando e simplificando as relações comerciais.

Contudo, as auditorias por parte dos clientes ainda são empregadas, em especial quando as organizações fornecedoras ainda não estão certificadas. Nesse caso, trata-se da avaliação ou qualificação de fornecedores. A tendência é que os clientes passem a exigir dos fornecedores e parceiros sua certificação por organismos de certificação credenciados (OCC), a fim de reduzir os custos com as auditorias de qualificação.

Por ter caráter voluntário, a certificação ISO 9000 é uma atividade que será tanto mais aceita quanto maior for a credibilidade de quem a atesta, isto é, do OCC contratado.

Basicamente, pode-se dividir a atividade de auditoria em:

(a) verificar a adequação dos documentos da organização em relação à norma de referência (auditoria de adequação); e
(b) verificar, por meio de evidência objetiva, a conformidade e eficácia da efetiva implementação, no local, dos procedimentos que compõem o sistema de gestão da qualidade da organização (auditoria de conformidade).

As auditorias são, ainda, classificadas em:

- auditoria de primeira parte (auditoria interna);
- auditoria de segunda parte (cliente-fornecedor);

- auditoria de terceira parte (sem relação comercial, feita por um organismo independente, normalmente um OCC).

Sistemas integrados de gestão

Os sistemas integrados de gestão, que podem contemplar várias normas, representam a otimização do tempo e dos custos mediante uma gestão sistêmica de toda a organização.

Existe a tendência de as oportunidades de integração dos sistemas de gestão da qualidade com outros sistemas de gestão eventualmente adotados nas organizações serem aproveitadas.

Apesar de a norma NBR ISO 9001 abordar apenas a compatibilidade com a NBR ISO 14001 (Gestão ambiental), recomenda-se a integração com as demais referentes a sistemas de gestão, notadamente com as normas OHSAS 18001 (Saúde e segurança ocupacional), NBR ISO 26000 (Responsabilidade social e sustentabilidade), NBR ISO 31000 (Riscos), NBR ISO/IEC 27001 (Segurança da informação), NBR ISO 22000 (Segurança alimentar), entre outras, de acordo com o setor de atuação da organização em tela.

NBR ISO 14001 – Gestão ambiental (SGA)

A norma NBR ISO 14001 (Sistemas de gestão ambiental – Requisitos com orientações para uso) é abordada no âmbito do ABNT/CB-38 (Comitê Brasileiro de Gestão Ambiental, criado em 1999), que sucedeu o antigo ABNT/Gana (Comitê de Apoio à Normalização e à Gestão Ambiental, criado em 1995), e tem como principal diretriz a participação de todos os membros da organização na proteção ambiental, envolvendo todas as partes interessadas. Utiliza procedimentos para identificar todos os impactos ambientais e pode ser aplicada por qualquer tipo de organização, industrial ou de serviço, de qualquer porte e de qualquer ramo de atividade.

Seu foco é na ação e no pensamento proativo, e não em reação a comandos e em políticas de controle do passado. É uma norma de sistema e reforça a melhoria da proteção ambiental pelo uso de um único sistema de gerenciamento, que deve permear todas as funções da organização.

A norma NBR ISO 14001 preocupa-se com as questões ambientais da organização e sua sustentabilidade. A organização deve descrever e documentar seu sistema de gestão ambiental (SGA), incluindo os objetivos mensuráveis coerentes com sua política ambiental.

A gestão ambiental busca transformar problemas em oportunidades, por meio da medição constante, utilizando indicadores ambientais. Procura, ainda, promover o manejo adequado e não prejudicial de resíduos e alcançar uma economia substancial de recursos.

OHSAS 18001 – Segurança e saúde no trabalho (SST)

As organizações também utilizam a Occupational Health and Safety Assessment Series (OHSAS 18001 – Série de avaliação da segurança e saúde no trabalho) para a construção de sistemas integrados de gestão com a norma NBR ISO 9001 e com a norma NBR ISO 14001.

É uma norma certificável reconhecida internacionalmente, que tem como objetivo uma maior preservação da saúde, da segurança e da qualidade de vida do empregado em seu local de trabalho. Ao preservar ainda mais a saúde do colaborador e ao controlar riscos, a organização garante a estabilidade operacional, melhora sua imagem institucional, reduz custos e aumenta a produtividade, tendo como consequência a abertura de novos mercados.

Os principais objetivos da OHSAS 18001 são: minimizar os riscos para os colaboradores e outras pessoas envolvidas, e auxiliar as organizações a estabelecerem uma imagem responsável no mercado em que atuam.

A norma OHSAS 18001 define os requisitos básicos para sistemas de gestão da segurança e saúde ocupacional, ajudando as organizações a controlarem cada vez melhor os riscos de acidentes e doenças ocupacionais.

Implementa-se essa norma seguindo as diretrizes contidas na OHSAS 18002 (Diretrizes para implantação da OHSAS 18001).

NBR ISO 26000 – Responsabilidade social e sustentabilidade (diretrizes)

A NBR ISO 26000 é um grande guia sobre responsabilidade social. A norma orienta a organização em diferentes culturas, sociedades e contextos ao abordar temas que englobam desde direitos humanos, práticas de trabalho, meio ambiente e governança, incluindo diretrizes para a implementação de processos relacionados a estes temas.

A NBR ISO 26000 possui seis princípios que deveriam ser respeitados pelas organizações. É importante ressaltar que a norma reconhece que esta não é uma lista exaustiva de princípios e que, apesar de existirem outros, ao menos estes sete deveriam ser respeitados. Ao atentar para estes princípios e segui-los em todas as suas ações, as organizações estariam maximizando sua contribuição para o desenvolvimento sustentável. Os princípios que a norma apresenta são:

1. *prestação de contas e responsabilidade* (*accountability*) – O termo *accountability* é de difícil tradução para o português. Na norma, este princípio foi definido assim: "[...] que a orga-

nização preste contas e se responsabilize por seus impactos na sociedade e no meio ambiente", o que significa que a organização deve aceitar "uma investigação apropriada" e também "o dever de responder a essa investigação";

2. *transparência* – "Ser transparente em suas decisões e atividades que impactam sobre o meio ambiente e a sociedade";
3. *comportamento ético*: comportar-se eticamente em todos os momentos, isto é, respeitar, considerar e responder aos interesses das partes interessadas;
4. *respeito pelo estado de direito (respeito à lei)*: aceitação de que o respeito ao estado de direito é obrigatório;
5. *respeito pelas normas internacionais de comportamento*: é uma das questões mais inovadoras que a norma apresenta. Para compreendê-la devidamente, é necessário consultar as definições de normas internacionais de comportamento. Este princípio é definido como a necessidade de respeito pelas normas internacionais de comportamento, ao mesmo tempo em que se adere ao princípio de respeito pelo estado de direito (respeito à lei);
6. *respeito pelos direitos humanos*: é definido como a implementação de práticas de respeito aos direitos humanos e reconhecimento tanto de sua importância quanto de sua universalidade.

Neste capítulo, prezado leitor, foram apresentadas as normas NBR ISO 9000, que tratam de sistemas de gestão da qualidade, e as demais normas que, juntamente com a NBR ISO 9000, constituem os chamados sistemas de gestão integrados (SGI). Vimos, ainda, as principais características das auditorias, o processo de certificação de organizações, a importância da normatização internacional e nacional, entre outros assuntos vitais para se estruturar um sistema de gestão em uma organização, de modo a inseri-la no mercado internacional e aumentar sua competitividade, provendo maior confiança por parte do mercado.

No próximo capítulo, veremos o conceito de excelência organizacional, baseado no modelo apresentado pela Fundação Nacional da Qualidade (FNQ). Repare, então, prezado leitor, que o conceito de excelência a seguir vai além dos princípios constituintes das normas NBR ISO 9000 vistos neste capítulo, criando um modelo de sistema de gestão mais abrangente e completo; portanto, mais efetivo para a organização. Boa leitura.

6 Prêmio Nacional da Qualidade (PNQ)

Os conceitos da gestão de qualidade total, pesquisados inicialmente por autores norte-americanos, como Deming, Juran e Feigenbaum, nas décadas de 1950 e 1960, encontraram no Japão o ambiente fértil para seu desenvolvimento nos anos seguintes. Frise-se que esta prática foi bastante divulgada nos países ocidentais nos anos 1980 e 1990.

Ainda na década de 1950, foi criado o Prêmio Deming no Japão. Nos EUA, prêmio semelhante, chamado Malcolm Baldridge National Quality Award (MBNQA), surgiu em 1981. Em suma, esses prêmios têm por propósito reconhecer as empresas mais bem-sucedidas na implantação de modelos de gestão da qualidade e, a partir daí, conceber um modelo de avaliação para ser utilizado como base para a implementação da gestão de processos e qualidade. A partir dessas experiências, surgiram prêmios equivalentes em diversos países e regiões, como o Prêmio Europeu da Qualidade e até mesmo o Prêmio Nacional da Qualidade (PNQ) no Brasil, que veremos a seguir.

Este capítulo é de grande importância para você, leitor, tendo em vista a atualidade da temática, abrangência e credibilidade do modelo de gestão que será apresentado.

Histórico

A Fundação Nacional da Qualidade (FNQ), entidade privada e sem fins lucrativos, foi instituída no Brasil em outubro de 1991 por 39 organizações privadas e públicas, para administrar o Prêmio Nacional da Qualidade (PNQ) e representá-lo institucionalmente nos fóruns internacionais. Sua missão se encontra associada à divulgação dos fundamentos da excelência em gestão para o aumento de competitividade das organizações e do Brasil.

Na visão da FNQ, buscar a gestão da qualidade nas organizações consiste em promover ações que visem ao pleno atendimento do modelo de gestão referenciado nos critérios de excelência (CE), um material editado pela entidade, revisado anualmente por profissionais e acadêmicos de diversas áreas, que buscam atualizá-lo a partir de diferentes fontes, por meio de troca de informações com cerca de outras 50 fundações internacionais, que oferecem prêmios similares ao brasileiro. É, indiscutivelmente, um modelo que retrata o estado da arte da gestão para a excelência do desempenho e para o aumento da competitividade, o que, em última análise, caracteriza a própria evolução que os tradicionais modelos de gestão da qualidade sofreram até incorporar práticas gerenciais mais estratégicas e integradas.

Considerável volume de material a respeito da FNQ, do seu modelo de gestão da qualidade, dos critérios de avaliação do PNQ, do processo de candidatura e demais informações pertinentes, se encontra disponível no próprio site da entidade (www.fnq.org.br); as informações são de domínio público e de fácil acesso. Considerando-se que o modelo é atualizado a cada ano, sugerimos que você, leitor, consulte o site. No entanto, com o fim de disseminar tais informações, este capítulo faz uma transcrição parcial, ou eventualmente adaptada, das partes mais importantes dos critérios de excelência.

O Modelo de Excelência da Gestão® (MEG), adotado para avaliar organizações que se candidatam ao PNQ é como a FNQ entende que deva ser o caminho da excelência de gestão numa organização. Ou seja, a organização que busca a excelência na gestão deveria se empenhar para atender a todos os oito critérios de excelência (que no texto do PNQ, por se tratar de um modelo de premiação, são, na verdade, critérios de avaliação), realizando ações compatíveis com os itens de avaliação vinculados a esses critérios. Este capítulo descreve os critérios e respectivos itens de avaliação. Nosso foco se dirige aos aspectos premiação, critérios de excelência, itens de avaliação, pontuação e outros temas afins. No entanto, é fundamental que a organização compreenda ser mais importante entender e aplicar o modelo de gestão proposto do que buscar a premiação.

Desde sua criação, a FNQ conduziu ciclos de premiação anuais e recebeu aproximadamente 500 empresas candidatas. Em torno de 150 empresas receberam visita dos examinadores, das quais apenas um seleto grupo recebeu o Prêmio Nacional da Qualidade.

Com a experiência adquirida ao longo destes anos no cumprimento de sua missão institucional, a FNQ estimulou e participou da criação de diversas premiações setoriais, estaduais e regionais. Além disso, edita, desde 1996, os documentos "Compromisso com a excelência" e "Rumo à excelência", que têm sido utilizados como referencial de avaliação para essas premiações, mantendo o alinhamento com os critérios de excelência.

Assim, o PNQ estimula a melhoria da qualidade da gestão das organizações brasileiras, reconhecendo anualmente aquelas que atingiram o nível de desempenho "classe mundial", ou seja, as organizações que se destacaram pela excelência da gestão de suas práticas e respectivos resultados. Dessa forma, promove, interna e externamente, a reputação de excelência dos produtos e serviços brasileiros, divulgando as práticas exemplares de gestão e, por consequência, contribui para a melhoria da qualidade de vida no Brasil.

No quadro 8, veja a relação das empresas premiadas até o momento.

Quadro 8

Empresas premiadas – PNQ (1993-2011)

Ano da premiação	Empresas premiadas – PNQ	Categoria/Empresa
2011	Coelce	Grande empresa
	CPFL Paulista	Grande empresa
	Eletrobras Eletronorte – Superint. Geração Hidráulica (OGH)	Grande empresa
	Rio Grande Energia (RGE)	Grande empresa
2010	AES Sul	Grande empresa
	Elektro	Grande empresa
2009	AES Eletropaulo	Grande empresa
	Brasal Refrigerantes	Grande empresa
	CPFL Piratininga	Grande empresa
	Volvo Caminhões	Grande empresa
2008	CPFL Paulista	Grande empresa
	Suzano Papel e Celulose	Grande empresa
2007	Albras Alumínio Brasileiro S.A.	Grande empresa
	Fras-le S.A.	Grande empresa
	Gerdau Aços Longos S.A.	Grande empresa
	Promon S.A	Grande empresa
	Petróleo Brasileiro S.A. – Área de Negócio Abastecimento	Grande empresa
2006	Belgo Siderurgia S.A. – Usina de Monlevade	Grande empresa
2005	Companhia Paulista de Força e Luz	Grande empresa
	Petroquímica União S.A.	Grande empresa
	Serasa S.A.	Grande empresa
	Suzano Petroquímica S.A.	Grande empresa

continua

Ano da premiação	Empresas premiadas – PNQ	Categoria/Empresa
2004	Belgo Juiz de Fora	Grande empresa
2003	Dana Albarus – Divisão de Cardans (Gravataí)	Grande empresa
	Escritório de Engenharia Joal Teitelbaum	Média empresa
2002	Gerdau Aços Finos Piratini	Grande empresa
	Politeno Indústria e Comércio S.A.	Média empresa
	Irmandade da Santa Casa de Misericórdia de Porto Alegre	Organização sem fins lucrativos
2001	Bahia Sul Celulose S.A.	Grande empresa
2000	Serasa Centralização de Serviços dos Bancos S.A.	Grande empresa
1999	Cetrel S.A. Empresa de Proteção Ambiental	Média empresa
	Caterpillar Brasil	Manufaturas
1998	Siemens – Unidade de Telecomunicações	Manufaturas
1997	Weg – Unidade Motores	Manufaturas
	Copesul – Companhia Petroquímica do Sul	Manufaturas
	Citibank – Unidade Corporate Banking	Prestadora de serviços
1996	Alcoa – Unidade Poços de Caldas	Manufaturas
1995	Serasa Centralização de Serviços dos Bancos	Prestadoras de serviços
1994	Citibank – Unidade Global Consumer Bank	Prestadora de serviços
1993	Xerox do Brasil	Manufaturas
1992	IBM – Unidade Sumaré	Manufaturas

Fonte: Adaptado de FNQ (2011).

Processo de premiação

Para o Prêmio Nacional da Qualidade de 2011, os diversos setores e ramos de atividades foram subdivididos em cinco categorias de premiação (candidatura), de acordo com o setor e o porte:

- grandes empresas: organizações que possuem mais de 500 pessoas na força de trabalho;
- médias empresas: organizações entre 100 e 499 pessoas na força de trabalho;
- pequenas e microempresas: organizações com 99 ou menos pessoas na força de trabalho;
- órgãos da administração pública federal, estadual e municipal: poderes Executivo, Legislativo e Judiciário;
- organizações de direito privado sem fins lucrativos.

São elegíveis organizações nacionais ou multinacionais, sociedades de economia mista, abertas ou não, limitadas ou com outras formas legais, inclusive unidades autônomas de uma organização maior.

As organizações elegíveis que desejam participar do PNQ devem elaborar um relatório da gestão, abordando todos os itens de avaliação dos critérios de excelência.

As organizações candidatas ao prêmio devem fornecer informações sobre os enfoques de seus sistemas de gestão e sobre os resultados alcançados, de acordo com os critérios de excelência. Essas informações têm por objetivo mostrar se as candidatas possuem práticas de gestão exemplares, que redundam em resultados comparáveis aos referenciais de excelência e que possam servir de estímulo para outras organizações instaladas no território nacional. Os critérios de excelência estão desenhados não somente para servir como modelo para a avaliação do PNQ, mas, principalmente, para permitir um diagnóstico do sistema de gestão, seja qual for o tipo de organização. As informações requeridas podem ser subdivididas em três partes:

- elegibilidade;
- inscrição para candidatura;
- relatório de gestão.

Os sistemas de gestão das candidatas são analisados criticamente pela banca examinadora de três etapas:

- análise crítica individual;
- análise crítica de consenso;
- visita às instalações.

A banca examinadora, responsável pela análise crítica das candidatas, é composta por examinadores seniores, examinadores relatores, examinadores e juízes – especialistas qualificados, provenientes de diversos setores de atividades.

Todas as candidatas, incluindo as premiadas e as finalistas, recebem um "relatório de avaliação de gestão", que informa os detalhes do processo, a distribuição percentual das pontuações globais das demais candidatas, as pontuações obtidas em cada item de avaliação, os pontos fortes do sistema de gestão apresentado e suas oportunidades para melhoria.

Fundamentos de excelência

Em meados dos anos 1980, diante da necessidade de melhorar a qualidade dos produtos e de aumentar a produtividade das empresas americanas, um grupo de especialistas analisou uma série de organizações bem-sucedidas, consideradas, até então, "ilhas de excelência", em busca de características comuns que as diferenciassem das demais. As características identificadas eram compostas por valores organizacionais, que podiam ser facilmente percebidos como parte da cultura das organizações, sendo praticados pelas pessoas que as constituíam, desde os líderes de maior nível de responsabilidade até os empregados dos escalões inferiores. Naquela ocasião, os valores identificados nas organizações de sucesso foram considerados os fundamentos para a formação de uma cultura de gestão voltada para resultados e deram origem aos critérios de avaliação e à estrutura sistêmica do Malcolm Baldrige National Quality Award, (MBNQA, o PNQ americano) em 1987.

O modelo de gestão do PNQ foi elaborado em 1991, com base naquele mesmo conjunto de fundamentos. À medida que novos valores de gestão de organizações excelentes são desenvolvidos e identificados, os fundamentos da excelência passam por atualizações. Os que servem de referencial para os critérios de excelência do PNQ 2011 são, como definido pela FNQ:

- *pensamento sistêmico*: entendimento das relações de interdependência entre os diversos componentes de uma organização, bem como entre a organização e o ambiente externo;
- *aprendizado organizacional*: busca e alcance de um novo patamar de conhecimento para a organização por meio de percepção, reflexão, avaliação e compartilhamento de experiências;
- *cultura de inovação*: promoção de um ambiente favorável à criatividade, à experimentação e à implementação de novas ideias que possam gerar um diferencial competitivo para a organização;
- *liderança e constância de propósitos*: atuação dos líderes, de forma aberta, democrática, inspiradora e motivadora das pessoas, visando ao desenvolvimento ininterrupto da cultura da excelência, à promoção de relações de qualidade e à proteção dos interesses das partes envolvidas;
- *orientação por processos e informações*: compreensão e segmentação do conjunto das atividades e dos processos da organização que agregam valor para as partes interessadas, sendo que a tomada de decisões e a execução de ações devem ter como base a medição e a análise do desempenho, levando-se em consideração as informações disponíveis, além de incluirem-se os riscos identificados;
- *visão de futuro*: compreensão dos fatores que afetam a organização, seu ecossistema e o ambiente externo no curto e no longo prazos, visando à sua perenização;

- *geração de valor*: alcance de resultados consistentes, assegurando a perenidade da organização pelo aumento de valores tangível e intangível, de forma sustentada, para todas as partes integrantes;
- *valorização das pessoas*: estabelecimento de relações com as pessoas, criando condições para que elas se realizem profissional e humanamente, maximizando seu desempenho por meio do comprometimento, desenvolvimento de competências e espaço para empreender;
- *conhecimento sobre o cliente e o mercado*: conhecimento e entendimento do cliente e do mercado, visando à criação de valor, de forma sustentada para o cliente e, consequentemente, gerando maior competitividade nos mercados;
- *desenvolvimento de parcerias*: desenvolvimento de atividades em conjunto com outras organizações, potencializando competências complementares de cada uma e a atuação conjunta, e buscando benefícios para as partes envolvidas;
- *responsabilidade social*: atuação que se define pela relação ética e transparente da organização com todos os públicos com os quais se relaciona, estando voltada para o desenvolvimento sustentável da sociedade, preservando recursos ambientais e culturais para gerações futuras, respeitando a diversidade e promovendo a redução das desigualdades sociais como parte integrante da estratégia da organização [FNQ, 2009].[3]

Modelo de Excelência da Gestão® (MEG)

O modelo de excelência do PNQ reflete a experiência, o conhecimento e o trabalho de pesquisa de muitas organizações e especialistas, do Brasil e do exterior, ao longo de mais de 18

[3] Disponível em: <www.mbc.org.br/mpe/arquivos/download/Criterios_Excelencia2010.pdf>. Acesso em: 13 dez. 2011.

anos de existência da FNQ. Em função da sua flexibilidade, da simplicidade da linguagem utilizada e, principalmente, por não prescrever ferramentas e práticas de gestão específicas, o modelo é útil para avaliação, diagnóstico e orientação de qualquer tipo de organização, no setor público ou privado, com ou sem finalidade de lucro e de porte pequeno, médio ou grande. A incorporação dos fundamentos da excelência às operações da organização, de maneira continuada e em consonância com seu perfil e suas estratégias, é enfatizada pelo modelo, que contém oito critérios de excelência aqui listados e descritos e que aparecem na figura 20.

- *Liderança*: este critério aborda os processos gerenciais relativos à orientação filosófica da organização e controle externo sobre sua direção; ao engajamento, pelas lideranças, das pessoas e partes interessadas na sua causa; e ao controle de resultados pela direção.
- *Estratégias e planos*: os processos gerenciais relativos à concepção e à execução das estratégias, inclusive aqueles referentes ao estabelecimento de metas e à definição e ao acompanhamento de planos necessários para o êxito das estratégias.
- *Clientes*: os processos gerenciais relativos ao tratamento de informações de clientes e mercado e à comunicação com o mercado e clientes atuais e potenciais.
- *Sociedade*: os processos gerenciais relativos ao respeito e tratamento das demandas da sociedade e do meio ambiente e ao desenvolvimento social das comunidades mais influenciadas pela organização.
- *Informações e conhecimento*: os processos gerenciais relativos ao tratamento organizado da demanda por informações na organização e ao desenvolvimento controlado dos ativos intangíveis, geradores de diferenciais competitivos, especialmente os de conhecimento.

- *Pessoas*: os processos gerenciais relativos à configuração de equipes de alto desempenho, ao desenvolvimento de competências das pessoas e à manutenção do seu bem-estar.
- *Processos*: os processos gerenciais relativos aos processos principais do negócio e aos de apoio, tratando separadamente os relativos a fornecedores e os econômico-financeiros.
- *Resultados*: os resultados da organização, na forma de séries históricas e acompanhados de referenciais comparativos pertinentes, para avaliar o nível alcançado, e de níveis de desempenho associados aos principais requisitos de partes interessadas, para verificar o atendimento.

Figura 20

Modelo de Excelência da Gestão® (MEG) – Visão sistêmica da organização

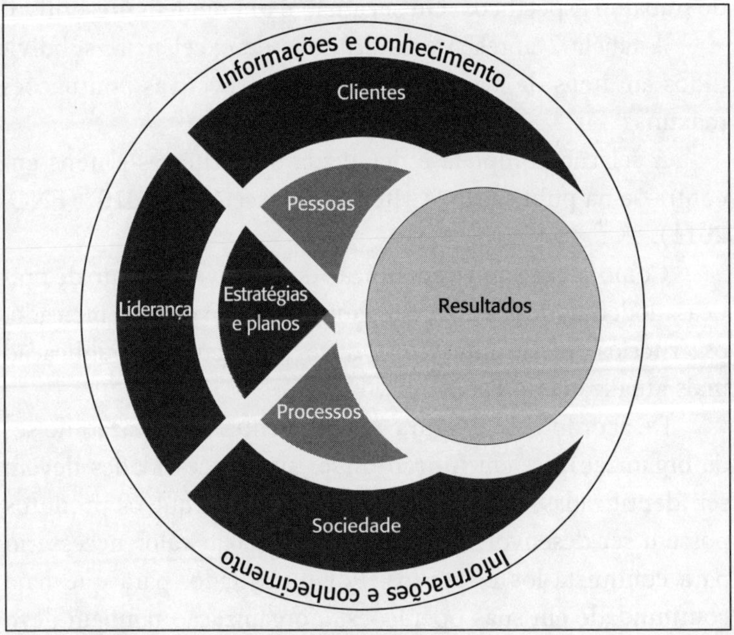

Fonte: FNQ (2011:14).

A figura 20, conforme indicado nos Critérios de Excelência, é representativa dos critérios de avaliação e

> simboliza a organização, considerada como um sistema orgânico e adaptável que interage com o ambiente externo. Sugere que os elementos do Modelo, imersos num ambiente de informação e conhecimento, relacionam-se de forma harmônica e integrada, voltados para a geração de resultados [FNQ, 2011:14].

Os oito critérios de excelência, constantes da figura 20, estão subdivididos em itens de avaliação, cada um deles com requisitos específicos e sua pontuação máxima. Destes, a grande maioria é relacionada aos processos gerenciais (1.1 a 7.3) e os demais aos resultados organizacionais (8.1 a 8.6). Conforme mencionado, cada item solicita alguns requisitos relacionados à gestão da organização, sem prescrever ferramentas ou métodos de trabalho específicos. Ou seja, não é um modelo prescritivo.

A tabela 2 apresenta os critérios de excelência, subdivididos em itens de avaliação com suas respectivas pontuações máximas.

A relação completa e detalhada dos critérios e itens encontra-se na publicação "Critérios de excelência 2010" (FNQ, 2011).

Como, a cada ano e em função do desenvolvimento de práticas modernas de gestão nas organizações e do próprio mercado, os critérios sofrem alterações, deve-se procurar a publicação mais atualizada do PNQ.

De acordo com a figura 20, os clientes são a razão de ser da organização e, em função disso, suas necessidades devem ser identificadas, entendidas e utilizadas para que os produtos possam ser desenvolvidos de modo a criar o valor necessário para conquistá-los e retê-los. Por outro lado, para que haja continuidade em suas operações, a organização também deve identificar, entender e satisfazer as necessidades da sociedade, cumprindo as leis, preservando os ecossistemas e contribuindo para o desenvolvimento das comunidades ao seu redor.

Tabela 2

Critérios de excelência e itens de avaliação do PNQ

CRITÉRIOS E ITENS	PONTUAÇÃO MÁXIMA
1. Liderança	**110**
1.1 Governança corporativa	40
1.2 Exercício da liderança e promoção da cultura da excelência	40
1.3 Análise do desempenho da organização	30
2. Estratégias e planos	**60**
2.1 Formulação das estratégias	30
2.2 Implementação das estratégias	30
3. Clientes	**60**
3.1 Imagem e conhecimento de mercado	30
3.2 Relacionamento com clientes	30
4. Sociedade	**60**
4.1 Responsabilidade socioambiental	30
4.2 Desenvolvimento social	30
5. Informações e conhecimento	**60**
5.1 Informações da organização	30
5.2 Ativos intangíveis e conhecimento organizacional	30
6. Pessoas	**90**
6.1 Sistemas de trabalho	30
6.2 Capacitação e desenvolvimento	30
6.3 Qualidade de vida	30
7. Processos	**110**
7.1 Processos principais do negócio e processos de apoio	50
7.2 Processos relativos a fornecedores	30
7.3 Processos econômico-financeiros	30
8. Resultados	**450**
8.1 Resultados econômico-financeiros	100
8.2 Resultados relativos a clientes e ao mercado	100
8.3 Resultados relativos à sociedade	60
8.4 Resultados relativos às pessoas	60
8.5 Resultados relativos a processos	100
8.6 Resultados relativos a fornecedores	30
Total de pontos possíveis	**1.000**

Fonte: FNQ (2011:104).

A equipe de liderança estabelece os princípios, valores e as diretrizes da organização, pratica e vivencia os fundamentos, impulsionando, com seu exemplo, a disseminação da cultura da excelência. Os líderes, principais responsáveis pela obtenção de resultados que assegurem a satisfação de todas as partes interessadas e a perpetuidade da organização, analisam criticamente o desempenho global e adotam, sempre que necessário, ações que consolidem o controle e o aprendizado organizacionais.

As estratégias são formuladas para direcionar a organização e seu desempenho, bem como para determinar sua posição competitiva. São desdobradas em planos de ação, para curto e longo prazos, que servem como referência para a tomada de decisões e para a aplicação de recursos na organização. Para permitir a comunicação clara das diretrizes organizacionais e das estratégias para as partes interessadas, direcionar sua implementação e possibilitar a análise crítica do desempenho global pela liderança, o sistema de medição do desempenho da organização é planejado e operacionalizado.

As pessoas que compõem a força de trabalho devem estar capacitadas e satisfeitas, atuando em um ambiente propício à consolidação da cultura da excelência, para executarem os processos, identificarem as melhores alternativas de captações e aplicações de recursos e utilizarem os bens e serviços provenientes de fornecedores para transformá-los em produtos. Com isso, criam valor para os clientes, preservando os ecossistemas, e contribuem para o desenvolvimento das comunidades, de acordo com o que estabelecem as estratégias e os planos da organização.

Os resultados servem para acompanhar o desempenho da organização e suas tendências em relação aos clientes e ao mercado, às finanças, às pessoas, aos fornecedores, aos processos relativos ao produto, à sociedade, aos processos de apoio e aos processos organizacionais.

Finalmente, a experiência acumulada e o aprendizado adquirido constituem a memória da organização e sua principal fonte de melhoria e inovação. As informações e o conhecimento representam a inteligência da organização, propiciando a análise crítica e a tomada das ações necessárias, em todos os níveis. A gestão das informações e do capital é essencial para a jornada em busca da excelência.

Concluindo, no modelo de excelência do PNQ pode ser visualizado o ciclo PDCA da organização, visto no capítulo "Gestão por processos", em que os critérios 1 a 4 representam a fase de planejamento (P); os critérios 6 e 7, a fase de execução (D); o critério 8, a etapa de controle (C); o critério 5 a retroalimentação, para que a liderança e demais membros da organização analisem os resultados correspondentes à etapa de aprendizado (A).

Todos os itens relacionados a processos gerenciais (1.1 a 7.3 da tabela 3) estão estruturados conforme a dinâmica do diagrama de gestão, apresentado na figura 21.

Figura 21

Diagrama da gestão

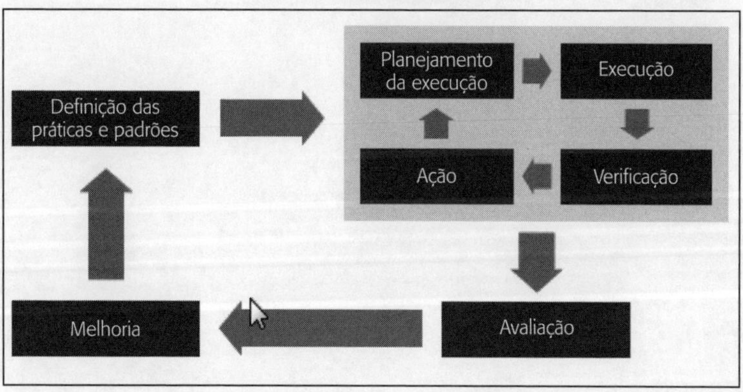

Neste diagrama da gestão também pode ser identificado o modelo PDCA, por suas ações na área de planejamento, execução, controle e aprendizado.

Este capítulo apresentou o histórico do modelo de gestão

em que se baseia o Prêmio Nacional da Qualidade (PNQ), seus fundamentos e critérios de excelência, detalhando, ainda, o processo de premiação e a sua importância.

Nos capítulos 7 e 8 serão apresentados a você, leitor, alguns métodos de gestão que podem ser utilizados no atendimento aos diversos itens de avaliação dos critérios de excelência que acabamos de ver.

7

Métodos de gestão clássicos

Na gestão moderna, prezado leitor, existem dezenas de métodos de gestão que podem ser desenvolvidos e aplicados de modo a contribuir para o aumento da competitividade das organizações.

Os métodos de gestão representam um conjunto de práticas disponíveis para uso no sistema de gestão das empresas. Durante o desenvolvimento de suas aplicações, utilizam ferramentas de gerenciamento e técnicas aplicadas na condução de grupos. Tais métodos são implantados pelas diversas áreas da organização, à medida que surgem necessidades.

Neste capítulo, é destacado o grupo que chamamos de métodos de gestão "clássicos", por serem aplicados a todos os negócios, atividades e áreas organizacionais. Desse grupo apresentaremos os métodos 5S, *benchmarking* e reengenharia.

5S

Nessa seção, caro leitor, serão apresentadas relevantes informações para oferecer um conhecimento geral sobre esse método de gestão amplamente utilizado pelas organizações, em especial no Japão. Teceremos comentários sobre sua contextualização histórica, conceito, objetivos, metodologia de implantação e até mesmo a respeito da variação do termo para o conceito de "8S".

Histórico

Pode-se imaginar uma fábrica japonesa suja e desorganizada? Nos dias de hoje, é praticamente impossível, mas este era um fato corriqueiro no Japão, no período pós-guerra. Além desse aspecto, registre-se a falta de insumos, matérias-primas, gêneros alimentícios, ou seja, uma grande escassez de produtos naquela época.

O movimento 5S nasceu ali, no final da década de 1960, como parte do esforço empreendido para reconstruir o país, e muito contribuiu, em conjunto com outros métodos e técnicas, para o reconhecimento da poderosa inscrição *made in Japan* (Colenghi, 1997).

No Brasil, o movimento chegou formalmente por intermédio dos trabalhos pioneiros da Fundação Christiano Ottoni, liderada pelo professor Vicente Falconi, em 1991. Atualmente, existem diversas versões e contribuições à filosofia original, mediante o acréscimo de outros "S" e interpretações diversas que, no entanto, mantêm a coerência com os princípios básicos.

Conceito

5S é uma filosofia voltada para a mobilização dos colaboradores através da implementação de mudanças no ambiente de trabalho, incluindo eliminação de desperdícios, arrumação de salas e limpeza.

O método é chamado de 5S porque, em japonês, as palavras que designam cada fase de implantação começam com o som da letra S. São elas:

- *Seiri*: organização, utilização, descarte;
- *Seiton*: arrumação, ordenação;
- *Seisou*: limpeza, higiene;
- *Seiketsu*: padronização;
- *Shitsuke*: disciplina.

Objetivo

O método 5S tem papel importante como instrumento para a união dos empregados. Seu objetivo principal é mudar a maneira de pensar desses empregados, a fim de que procurem ter um comportamento melhor em toda a vida, tanto profissional quanto familiar. Incentivando a capacidade criativa de cada empregado, permitindo a formação espontânea de grupos de trabalho e aproveitando o potencial de participação de cada um, pode-se eliminar a papelada sem serventia, arrumar e manter salas e corredores limpos e desobstruídos, realocar itens inservíveis no momento, para posterior utilização por outras áreas ou até para possível descarte.

A filosofia 5S induz a quebra de alguns paradigmas, como:

– Não vou jogar isso fora, porque um dia posso precisar dele para alguma coisa...

– Vou deixar empilhado, mas amanhã eu arrumo.

Metodologia

As atividades são divididas em sensibilização e perpetuação. Sensibilização inclui a educação e o treinamento de todos os colaboradores em temática, origem e concepção. Perpetuação equivale à aplicação dos últimos 2S: padronização (*Seiketsu*) e disciplina (*Shitsuke*).

Na primeira fase, a aplicação da filosofia 5S tem início fixando-se cartazes nas dependências da empresa, com o objetivo de sensibilizar os colaboradores, suscitando sua curiosidade. Deve-se criar um símbolo para a campanha. Uma figura que transmita segurança, simpatia e que consolide, em um só símbolo, tudo que se espera alcançar com o programa.

Para consolidar o processo, são também escritas, nos contracheques, mensagens do tipo: "Você passa mais tempo na empresa do que em casa. Que tal arrumar seu ambiente de trabalho de modo a torná-lo mais agradável?"

Em seguida, estrutura-se todo o plano de ação, que envolve uma apresentação a todos os empregados, com distribuição de brindes (chapéus, camisetas e aventais) com o símbolo da campanha 5S. Nesse momento, que deve ser o mais lúdico possível, transmitem-se os conceitos, indicando os passos para a implementação, com efetividade, do que se pretende.

Na semana seguinte a essa apresentação, acontece a "semana da limpeza" ou o "dia da limpeza", no qual os empregados se dedicam à eliminação dos itens que não estão sendo utilizados (papéis, móveis, equipamentos e outros), à arrumação e à limpeza propriamente dita. Todos são direcionados a levar os itens descartados para áreas específicas, preparadas para o evento e na entrada das quais foi instalada uma balança, a fim de que tudo seja pesado e separado por área de origem, de modo a avaliar o envolvimento no processo.

A avaliação é facilitada filmando-se ou fotografando-se todas as áreas participantes, antes e depois do evento, para fins de comparação.

A "semana da limpeza" é conduzida por multiplicadores – colaboradores de cada área, indicados pelas chefias, cuja incumbência é transmitir informações aos demais colegas e alertá-los quanto aos principais pontos a serem observados.

Após essa etapa, começa a segunda fase, a da perpetuação do processo, que equivale à aplicação dos últimos 2S. A aplicação adequada desses 2S dá o suporte formal para a perpetuação do processo de formação do contexto de auditoria do 5S, acompanhamento do processo e autodisciplina, a fim de tornar a prática uma constante no dia a dia do empregado, não só no ambiente organizacional, mas também em casa. Isto resulta na adoção de práticas do tipo "não coloque no prato mais do que pretende comer", "apague as luzes ao sair do ambiente" e outras, de caráter educativo.

É nessa etapa que são criadas as comissões 5S, que irão definir as condições ideais de trabalho, e os grupos de auditoria do 5S, que estabelecerão a pontuação correspondente aos itens "planejado versus realizado".

Outra versão da filosofia 5S é o *housekeeping*, com foco nos três primeiros S e que visa atingir resultados mais rápidos que o 5S tradicional, pois a ênfase recai sobre os 3S mais objetivos, proporcionando resultados mais tangíveis e de fácil mensuração.

Na aplicação dos últimos 2S é que reside a diferença entre o 5S e o *housekeeping*. Enquanto no 5S todo o processo de perpetuação é formalizado, no *housekeeping* isso fica subentendido, o que torna o processo periódico, com eventos pontuais de limpeza e organização e a inserção de reuniões anuais, como a "semana da limpeza", no calendário da organização.

Os resultados esperados no programa 5S são:

- eliminação de estoques intermediários;
- eliminação de documentos sem utilização;
- melhoria nas comunicações internas;
- melhoria nos controles e na organização de documentos;
- maior aproveitamento dos espaços;

- melhoria do *layout*;
- maior conforto e comodidade;
- melhoria do aspecto visual das áreas;
- mais limpeza em todos os ambientes;
- padronização dos procedimentos;
- maior participação dos empregados;
- maior envolvimento e *empowerment*;
- economia de tempo e de esforço;
- melhoria geral do ambiente de trabalho.

Programa 8S

Há algum tempo, leitor, têm surgido, na literatura, correntes que consideram o programa 5S pouco completo. Para torná-lo mais abrangente, vem ocorrendo a indicação da introdução de três "S" adicionais (Abrantes, 2007). Vejamos:

- *Shikari Yao*: senso de determinação e união. Objetiva conseguir a participação direta da direção em conjunto com todos os funcionários. Na medida em que os dirigentes da organização e seus representantes estão envolvidos no processo de implementação de uma nova filosofia de gestão, este deixa de ser um programa adotado por apenas alguns níveis hierárquicos e passa a sê-lo por todos da organização. A sensibilização para participar do Programa 8S passa a ser muito maior;
- *Shido*: senso de treinamento. Objetiva implantar um programa de treinamento estruturado em todos os níveis organizacionais, aumentando a empregabilidade dos funcionários e fazendo com que todos se sintam importantes para a empresa;
- *Setsuyaku*: senso de economia e combate aos desperdícios. Objetiva implantar uma etapa que complete todo o ciclo dos 8S,

complementando os outros 7S. Pode ser considerado o ponto alto do programa, em que os funcionários são convidados a dar sugestões, propor soluções, enfim, a participar ativamente do dia a dia da organização, sendo por isso recompensados com elogios, prêmios e vantagens oferecidos pela direção.

Em termos de metodologia, nesta linha dos 8S teríamos a seguinte ordem de orientação e implementação:

- *Shikari Yao*;
- *Shido*;
- *Seiri*;
- *Seiton*;
- *Seisou*;
- *Seiketsu*;
- *Shitsuke*;
- *Setsuyaku*.

Benchmarking

Vamos, agora, prezado leitor, tratar do método *benchmarking*. Esse método, apesar de muito importante não é bem-praticado pelas organizações. As organizações, de um modo geral, citam que o adotam, mas pecam na sua utilização por não seguirem as etapas de implementação. Apresentaremos, a seguir, o detalhamento desse método, incluindo os aspectos históricos, seu conceito, objetivos e a metodologia propriamente dita.

Histórico

O processo de *benchmarking* remonta aos primórdios da civilização, quando os exércitos da Antiguidade buscavam o maior número possível de informações sobre o estágio de operação do exército inimigo, com o propósito de se aperfeiçoarem nos pontos identificados como frágeis. Assim, num ambiente de caráter competitivo, torna-se propício o emprego desse método. Vale registrar, no entanto, que *benchmarking* não é um processo de espionagem militar ou industrial.

Aplicando-se esse método, observa-se a experiência de líderes de mercado e de indústrias bem-sucedidas, com o fim de extrair dela algum aprendizado que venha a melhorar os padrões de desempenho. Quando surgiu, o foco inicial do *benchmarking* era aprender com o concorrente aquilo que o punha em dada vantagem. Nos anos 1960, a IBM obteve significativa melhoria de desempenho no mercado por conseguir reduzir custos padronizando suas práticas organizacionais, à luz das melhores existentes em outras organizações. Na década seguinte, as empresas norte-americanas, ao perceberem que as japonesas ganhavam na qualidade de seus produtos, passaram a analisar as práticas gerenciais daquelas organizações, com o objetivo de recuperar a parcela perdida do mercado.

Nesse cenário, a partir da década de 1970, surgiu o termo *benchmarking* competitivo, fruto do trabalho desenvolvido pela empresa Xerox, ao determinar pontos deficientes em seu desempenho em relação à concorrência. O processo utilizado serviu, enfim, como parâmetro para outras empresas.

Essa prática, devidamente sistematizada, se tornou tão importante que empresas passaram a treinar seus gerentes nessa atividade, algumas chegando até a criar gerências de *benchmarking*, com o objetivo de disseminar e capacitar o corpo gerencial na sua aplicação, como foi o caso da IBM. Daí em diante, começaram a surgir metodologias similares.

Conceito

Segundo Spendolini (1994),

> *benchmarking* é um processo contínuo e sistemático para avaliar produtos, serviços e processos de trabalho de organizações que

são reconhecidas como representantes das melhores práticas, com a finalidade de melhoria organizacional.

Para Rodrigues (1999), na medida em que são realizadas comparações entre empresas, o hiato constatado entre elas sinaliza uma oportunidade de melhoria a ser explorada. É preciso identificar os referenciais de excelência (*benchmark*) e realizar as devidas comparações com esses referenciais (*benchmarking*). Assim, é possível saber como uma empresa se encontra em relação aos concorrentes diretos e aos de melhor desempenho em atividades similares.

É importante esclarecer, desde já, que o *benchmarking*, por ser um processo sistemático, utiliza uma metodologia de trabalho. Não se trata de, simplesmente, fazer uma visita a outra empresa, a fim de trocar informações. Promover uma visita é extremamente saudável e até faz parte, em dado momento, da metodologia, mas não basta.

Podemos classificar o método *benchmarking*, que não compara organizações como um todo, mas sim processos específicos, em três categorias: interno, competitivo e genérico, que utilizam a mesma estrutura de trabalho.

O *benchmarking* interno ocorre quando se comparam atividades semelhantes dentro da própria organização. Muitas organizações têm mais de uma filial, departamento ou local, o que permite comparações sobre desempenho e processos entre as unidades. Presume-se, nesse caso, que a empresa irá buscar suas melhores práticas internamente e compartilhá-las com as demais unidades. Exemplo: comparar o processo de faturamento entre lojas de uma mesma cadeia de supermercado.

Já no *benchmarking* competitivo, a comparação é realizada com empresas atuantes no mesmo segmento, concorrentes diretas ou não. Presume-se, nesse caso, que a empresa irá buscar as melhores práticas existentes, tentando igualar ou superar os melhores referenciais. Exemplo: comparar o processo de faturamento de supermercados concorrentes.

O *benchmarking* genérico, por sua vez, envolve a comparação de processos de empresas que podem ou não ser concorrentes diretas, atuando em qualquer tipo de indústria ou setor. O objetivo, nesse caso, é identificar as melhores práticas de gestão em qualquer tipo de organização com reputação estabelecida na área alvo de estudo. Existem excelentes organizações, empresas de classe mundial, mas que nunca serão excelentes em todos os processos, de modo que sempre terão o que aprender com outras. Exemplo: comparar o processo de faturamento de um supermercado com o de uma empresa de cartão de crédito. Por ser a atividade de cobrança e emissão de guias de faturamento vital para as empresas de cartão de crédito, pode-se supor que o pessoal de faturamento de um supermercado tenha o que aprender com a empresa de cartão de crédito.

Alguns autores classificam o *benchmarking* em quatro tipos: interno, competitivo, funcional e genérico. A diferença, nesse caso, é a distinção entre funcional (desenvolvido dentro do mesmo segmento de negócio em que a empresa atua) e genérico (desenvolvido em qualquer outro segmento). Exemplo de *benchmarking* funcional: comparar o processo de faturamento de um supermercado com o de um atacadista, fornecedor do supermercado.

Objetivo

O objetivo maior do *benchmarking* é captar e aprender, identificando oportunidades e ameaças. A empresa que se propõe a realizá-lo almeja aperfeiçoar sua gestão por meio de:

- busca de melhores processos e práticas inovadoras;
- aceleração dos ciclos de aprendizado e melhoria como um todo;

- redução de prazos e custos;
- formação de consenso interno sobre as limitações da organização e suas deficiências;
- estabelecimento de referências quantitativas para a melhoria dos resultados.

Metodologia

Há uma variedade de metodologias de *benchmarking*, desenvolvidas por diferentes autores e consultores organizacionais, mas verifica-se entre elas uma linha comum, cujos passos formam uma sequência similar. A seguir, os principais passos encontrados nas metodologias:

- identificar o tema;
- identificar empresas comparáveis e parceiros;
- identificar o método de coleta de dados e coletar dados;
- determinar a defasagem de desempenho;
- projetar desempenho futuro;
- estudar as práticas utilizadas;
- estabelecer metas e planos de ação;
- implementar planos de ação;
- monitorar o desenvolvimento do trabalho;
- reavaliar todo o processo.

As atividades de *benchmarking* são, normalmente, regidas por um código de conduta, ao qual empresas e participantes se submetem ao iniciarem uma atividade dessa natureza. Vejamos os princípios encontrados no Código Brasileiro de Ética e Conduta, desenvolvido pelo Instituto Nacional de Desenvolvimento e Excelência (Inde, 2002):

- princípio da legalidade;
- princípio da troca;

- princípio da confidencialidade;
- princípio do uso;
- princípio do contato em *benchmarking*;
- princípio do contato com terceiros;
- princípio da preparação;
- princípio do pleno cumprimento;
- princípio do entendimento e da ação;
- princípio do relacionamento.

As atividades de *benchmarking* atingiram tal nível de sofisticação que é comum encontrar, nos EUA, institutos e empresas que têm por objetivo promover sua prática. Empresas interessadas associam-se a essas instituições e se colocam à disposição, em face de sua competência empresarial, para apresentar seus processos, ensinar aquelas práticas em que se consideram competentes e, paralelamente, aprender, obter informações sobre outros assuntos. É possível identificar na internet várias instituições com esse objetivo.

Outro aspecto importante diz respeito à continuidade. O método não se constitui em evento isolado, assemelhando-se a uma pesquisa que disponibiliza informações de valor. Não se trata de copiar, mas de aprender com outras organizações de sucesso. Para tanto, é necessário o exercício de atividade intensa e disciplinada, visto ser uma metodologia de aplicações múltiplas em variada gama de processos no âmbito organizacional.

Reengenharia

Nesta seção, prezado leitor, iremos conhecer a reengenharia, que se caracteriza por uma brusca e radical reformulação das empresas que a adotam. Este caminho radical da reengenharia teve muitos reveses, principalmente para o fator humano, mas também foi o caminho irreversível para algumas organizações, no sentido de aumentar a competitividade para que sobrevivessem à concorrência acirrada do mundo globalizado. Vamos, então, conhecer esta metodologia que, ainda hoje, vigora no ambiente empresarial, seja com o nome de reengenharia, redesenho ou outra variação.

Histórico

O termo reengenharia ficou conhecido a partir do lançamento do livro *Reengenharia*, de Michael Hammer e James Champy (1994), surgido após artigo de Hammer na *Harvard Business Review* (1990), que, por ser um periódico de circulação restrita, não teve muita repercussão.

Conceito

Reengenharia é uma metodologia que propõe à organização começar do zero (Hammer e Champy, 1994). Não significa reformular o que existe ou fazer mudanças tímidas que deixem as estruturas básicas intactas; significa abandonar procedimentos consagrados e reexaminar o trabalho necessário para criar os bens e serviços, oferecendo aos clientes o que eles realmente desejam.

> Trata-se do repensar fundamental e da reestruturação radical dos processos que visam alcançar drásticas melhorias em indicadores críticos e contemporâneos de desempenho tais como: custos, qualidade, atendimento e velocidade [Hammer e Champy, 1994:22].

A reengenharia não parte dos processos existentes. Os planejadores do novo processo devem perguntar a si mesmos:

"Sem nos preocuparmos com a maneira pela qual alcançamos esse objetivo no passado, qual a melhor maneira possível de consegui-lo agora?" (Davenport, 1994)

Os esforços de reengenharia, em geral, têm quatro importantes ingredientes:

- grande foco nos clientes da organização (internos e externos);
- processos da organização repensados, para se obter melhorias na produtividade e nos tempos de ciclos;
- reorganização estrutural, que, tipicamente, quebra hierarquias funcionais, criando times multifuncionais, com formação de grupos e atividades de desenvolvimento organizacional;
- sistemas de mensuração e novas informações que usam a última palavra em tecnologia para direcionar a distribuição de dados e tomadas de decisão, como tecnologia da informação e qualidade.

Para se entender o conceito de reengenharia, deve-se prestar atenção às palavras-chave de Hammer e Champy (1994:22-24), que permitem compreender mais claramente a amplitude do processo. Palavras-chave:

- fundamental: por que se faz isso? Por que se faz dessa forma?;
- radical: não introduzir mudanças superficiais ou conviver com o que já existe, mas jogar fora o antigo; desconsiderar todas as estruturas e procedimentos existentes e inventar formas completamente novas de realizar o trabalho;
- processos: como é o processo? Quanto custa o processo?;
- drástica: reengenharia não diz respeito a melhorias marginais ou de pequenas quantidades, mas a saltos quânticos de desempenho.

Objetivo

A reengenharia pode ser vista como um conjunto de medidas que visam, quando bem-empregadas, à otimização dos métodos e processos organizacionais, reduzindo custos e aumentando a produtividade de forma radical. Ela repensa a maneira de desenvolver o trabalho dentro das organizações e não simplesmente a melhoria dos processos existentes. Muda o processo completamente, para que fique lógico, eficiente e orientado pela vocação das organizações.

Metodologia

Considerando os aspectos apresentados, têm-se as seguintes etapas de aperfeiçoamento dos negócios:

- desenvolver visão de processo;
- identificar a questão crítica do negócio;
- selecionar o processo crítico;
- compreender o processo: desenvolver os mapas de relacionamentos que descrevam o estado atual de cada processo e seus inter-relacionamentos;
- redefinir o processo: desenvolver um mapa ideal de processos;
- visualizar, projetar e implementar novo processo.

Um grande instrumento para identificação, análise e implementação de melhorias é o mapeamento das atividades por meio de uma abordagem gráfica, na qual se acompanha passo a passo todas as etapas. Inexiste uma padronização gráfica para os diversos componentes de um mapeamento dos processos, podendo-se utilizar os mesmos símbolos do fluxograma, ou criar nova simbologia para os "balões" de ação de trabalho, saída, conector, entre outros, desde que coerentes entre si (figuras diferentes para ações diferentes).

A reengenharia promove ações radicais quando não é possível aguardar por melhorias contínuas, graduais ou até mesmo por esforços advindos da prática de *benchmarking*, visto que aquilo que se identifica de melhor no mercado nem sempre pode ser adaptado ao que se tem hoje em dia.

A reengenharia é um tipo de melhoria radical, que contrasta com a melhoria contínua baseada em PDCA. Assim, ela está inclusa no grande guarda-chuva da gestão de processos e qualidade, apesar de vários autores chegarem a afirmar que a reengenharia opõe-se à gestão da qualidade. O modelo da gestão de processos e qualidade é extremamente amplo, que pressupõe não só melhorias graduais, incrementais, mas também melhorias radicais, como a reengenharia. No capítulo 2, que trata da gestão de processos e melhoria, apresentamos a figura 6 (Ciclo PDCA – Manutenção e melhoria), em que esta abordagem é apresentada.

Neste capítulo, apresentamos a você, leitor, alguns dos métodos de gestão mais usados, que denominamos "clássicos" por sua abrangência e disseminação.

Dando continuidade ao tema, serão apresentados, no capítulo seguinte, os métodos de gestão específicos, assim denominados por conta do seu foco mais estreito de aplicação.

8 Métodos de gestão específicos

Os métodos de gestão específicos estão sendo aqui destacados por apresentarem um foco mais direcionado em sua aplicação, sendo menos amplos. Contudo, também são importantes e podem vir a ser implementados. Nesse caso, detalhamos para você, caro leitor, os métodos *desdobramento da função qualidade* (QFD) e *análise de valor*. Adicionalmente, tecemos alguns comentários sobre outros ainda disponíveis.

Optamos por selecionar apenas esses, no conjunto de métodos, por representarem maior aderência à temática deste livro, pois, afinal, diversos outros métodos de gestão podem ser tratados em outras áreas de conhecimento, como nas áreas de produção, marketing, finanças, planejamento, logística, gestão de pessoas, entre outras.

Desdobramento da função qualidade (QFD)

Nesta seção, prezado leitor, iremos conhecer o método de gestão "QFD", que é extremamente importante para traduzir as expectativas dos clientes em especificações de produtos para as organizações. De modo a facilitar seu entendimento e sua importância, o método será apresentado contemplando os aspectos históricos, sua conceituação e seus objetivos, além da metodologia de implantação e de exemplo ilustrativo.

Histórico

Desenvolvido no Japão com as contribuições dos professores Shigeru Mizuno e Yoji Akao, o método *Quality Function Deployment* (QFD) foi continuamente aperfeiçoado por esse último colaborador em cooperação com empresas japonesas. A caracterização do método e a descrição do respectivo conteúdo remontam ao ano de 1972 com os trabalhos de Akao, entretanto, seu reconhecimento como relevante instrumento para o planejamento da qualidade ou gestão de desenvolvimento do produto data de 1978 (Cheng, 1995).

Inicialmente desenvolvido no estaleiro da Mitsubishi Heavy Industries Ltd. – que produzia navios de grande porte e navios-tanque – em resposta a uma solicitação do governo japonês a um grupo de professores universitários, dentre os quais o professor Akao, o QFD tinha por objetivo estruturar um processo que possibilitasse relacionar cada fase da construção de navios ao cumprimento e à observância de determinadas exigências.

No início dos anos 1970, a indústria automobilística japonesa passou também a fazer uso desse método, a fim de incrementar a exportação de veículos, haja vista a percepção pouco incentivadora que estes desfrutavam no mercado internacional, principalmente em razão da baixa qualidade demonstrada em comparação com os produzidos no exterior.

Nessa nova fase, cuidou-se para que grupos de clientes opinassem, avaliando os veículos fabricados, e despertando nas indústrias a atenção para pontos não enfocados anteriormente no desenvolvimento de seus automóveis, mas que eram de grande relevância no entender de seus clientes. Assim, esse método passou a incorporar a voz do cliente, cuja importância, com o passar dos anos, seria cada vez maior.

Após cerca de 15 anos de experiências exitosas no Oriente, o método QFD chegou ao Ocidente, tendo como ponto de partida a indústria automobilística americana. O sucesso de sua aplicação nessa indústria contribuiu de tal forma para sua expansão pelo território americano que, no final dos anos 1980, já se havia contabilizado um significativo número de casos bem-sucedidos. No Brasil, destaque para diversas empresas tais como Embraer, Multibrás, Xerox, Eaton, Fiat, Freios Varga, Mercedes-Benz, Gradiente e Ambev, as quais obtiveram resultados satisfatórios com o emprego do método.

Conceito

Representando um eficaz instrumento de planejamento, a expressão que compõe o nome do método *Quality Function `Deployment* (QFD) não guarda uma tradução literal para o português, a exemplo do termo *quality*, cujo significado não é de qualidade, mas de *atributos* ou *características*; da mesma forma, o termo *deployment* apresenta conotação diversa do sentido literal, sendo apropriado seu entendimento como *desenvolvimento* e *difusão*.

Consequentemente, "desdobramento da função qualidade" não é a tradução exata do termo QFD, por não refletir todo o seu significado.

Apesar de alguns especialistas o entenderem como um sistema e, outros, como uma metodologia, torna-se relevante associar o QFD à ideia de transformação de dados obtidos prioritariamente com os clientes (Cheng e Melo Filho, 2010). As informações assim colhidas são submetidas a uma série de processamentos.

Os requisitos determinados pelos clientes são refinados sucessivamente, de tal maneira que os produtos finais traduzam os atributos estabelecidos por eles próprios.

Dirigido às demandas do público-alvo, o QFD busca assegurar a observância das exigências do mercado, tanto no que concerne ao desenvolvimento de atributos, características e especificações do produto, como no que se refere à seleção e ao desenvolvimento de equipamentos, métodos e controles de processo.

Objetivo

O método QFD espelha uma mudança na forma de se ver o controle da qualidade: troca-se a antiga abordagem reativa, fruto da inspeção levada a efeito no produto final, oferecido para o cliente sem qualquer interferência deste na sua elaboração, por outra, de cunho proativo, voltada para a prevenção, à luz das necessidades antecipadas pelo cliente.

Seus principais objetivos são: estabelecer a qualidade projetada e planejada; analisar e comparar com produtos dos concorrentes; identificar os pontos de controle nos locais de trabalho (Ofjuhi, Ono e Akao, 1997); reduzir o tempo de desenvolvimento de produtos, o número de alterações em projetos, os problemas na partida da produção e os custos; aumentar a satisfação de clientes e ampliar a base de conhecimento dos participantes do projeto de QFD.

Metodologia

Existem vários modelos de metodologias de QFD, desenvolvidos por diversos autores e que, apesar de se apresentarem de formas distintas, não têm grandes diferenças em sua essência.

O QFD se processa, em geral, em quatro etapas – planejamento do produto, desenvolvimento dos componentes, planejamento do processo e planejamento da produção – que, em suas formas finais, são apresentadas como matrizes. O resultado da fase de planejamento do produto é a elaboração da "casa da qualidade", conforme ilustrado na figura 22.

Figura 22
CASA DA QUALIDADE

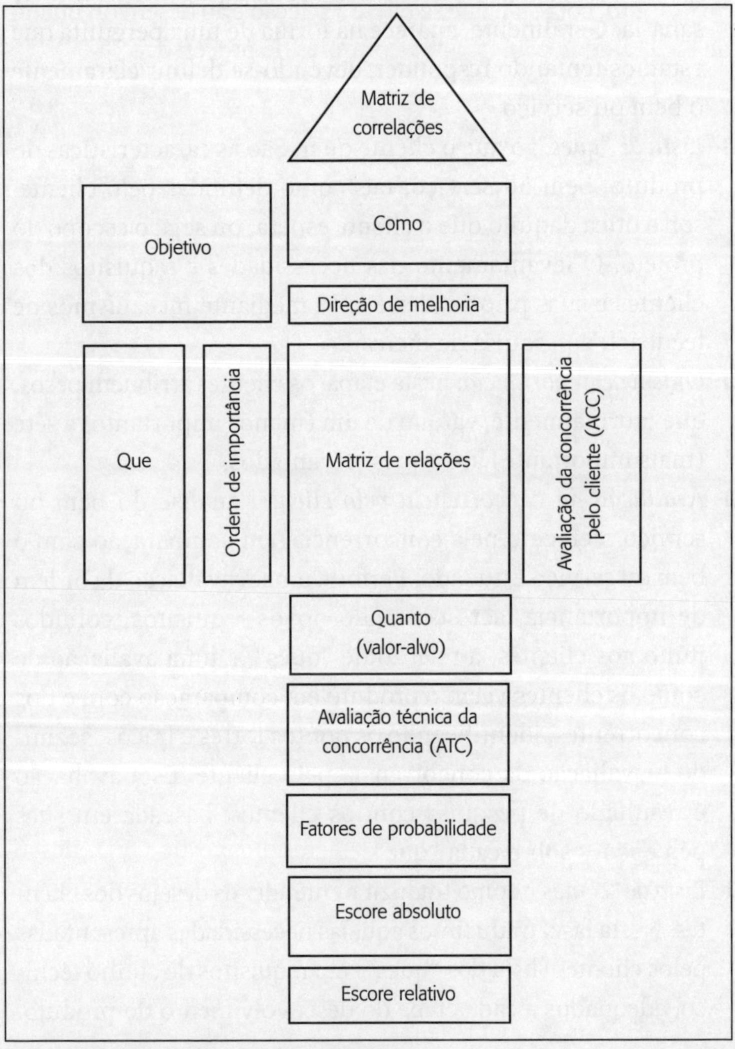

Fonte: Adaptado de Guinta e Praizler (1993:33).

Vejamos o sequenciamento das etapas, para a elaboração da casa da qualidade referente à fase de planejamento do produto:

- *Definição do objetivo*: é uma descrição da meta, do objetivo, do problema, da dificuldade que se quer resolver ou para a qual se vai direcionar todo o esforço da equipe no intuito de saná-la. Geralmente, aparece na forma de uma pergunta que estamos tentando responder, devendo-se definir claramente o bem ou serviço.
- *Lista de "ques"*: o que o cliente quer. São as características do produto, bem ou serviço, tais como definidas pelo cliente, sob a ótica daquilo que o cliente espera, ou seja, o escopo do projeto. O levantamento das necessidades e requisitos dos clientes e suas prioridades é feito mediante mecanismos de feedback e pesquisa de mercado.
- *Ordem de importância*: nesta etapa, os clientes atribuem pesos, que, normalmente, variam de um (menos importante) a sete (mais importante) aos "ques" levantados.
- *Avaliação da concorrência pelo cliente*: análise do bem ou serviço oferecido pela concorrência, em comparação com o bem ou serviço estudado. Permite uma reavaliação da ordem de importância, acrescentando novos requisitos, colhidos junto aos clientes, à relação de "ques", e uma avaliação de como os clientes veem o produto em comparação com o dos concorrentes, identificando os pontos fortes e fracos, segundo a avaliação da concorrência pelo cliente. Esta avaliação é resultado de pesquisa com os clientes, baseada em suas percepções sobre cada "que".
- *Lista de "comos"*: como traduzir e entender os desejos dos clientes. Nesta fase, traduzimos aquelas necessidades apresentadas pelos clientes (lista dos "ques") em requisitos de cunho técnico, adequados a cada etapa do desenvolvimento do produto.

É importante o engajamento simultâneo de todos os setores participantes no processo; em especial, os representantes das áreas de marketing, planejamento, projeto e engenharia de produto, bem como as áreas de desenvolvimento do processo, vendas e serviços. Os requisitos do cliente são, em sua maioria, expressos mediante características qualitativas, demandando, para sua apropriada quantificação, métodos para a estimação de dados que auxiliem no entendimento das expressões do cliente. Um "como" é uma maneira de atender a um "que". Os "comos" devem ser mensuráveis e controláveis.

- *Direção de melhoria*: estabelece para cada "como" sua direção de melhoria. A direção de melhoria pode ser "para cima", nos casos em que o aumento do valor do "como" melhora o desempenho (quanto maior, melhor); "para baixo", nos casos em que a diminuição do valor do "como" melhora o desempenho (quanto menor, melhor) ou uma faixa de resultados (dentro da faixa, melhor).
- *Matriz de correlação (que corresponde ao telhado da casa da qualidade)*: é uma matriz triangular que busca estabelecer a correlação entre os "comos". As correlações têm por objetivo avaliar o impacto em um "como" quando se melhora ou piora um outro "como". Essas correlações podem ser: muito positiva, positiva, negativa, muito negativa ou inexistente. Aferidas as correlações, conforme sua natureza elas serão objeto de tratamento diferenciado: se positivas, haverá economia (otimização) de recursos na consecução de algum "como"; se negativas, tendem a exigir um esforço em pesquisa e desenvolvimento, de modo a eliminar esse *tradeoff*, como é chamado.
- *Quanto (valor-alvo a alcançar)*: estabelece para cada "como" um valor-alvo que deve ser alcançado, de modo a garantir a satisfação do cliente. Normalmente, é obtido respondendo-se à seguinte pergunta básica: que valor o "como" deve ter para atingir ou garantir a satisfação do cliente?

- *Avaliação técnica da concorrência*: similar à avaliação da concorrência feita pelo cliente. A diferença reside no fato de a comparação se basear em cada "como" e não em cada "que". Ou seja, neste caso, a avaliação entre concorrentes não se baseia na percepção dos clientes, mas em avaliações técnicas, feitas pelo pessoal da empresa.
- *Matriz de relações*: é uma forma sistemática de identificar um nível de relação ou dependência entre uma característica do bem ou serviço – item "que" – e a maneira de obtê-lo – item "como". A pergunta básica que se faz é: se o "como" atingir o valor-alvo conforme o esperado, com que intensidade o cliente perceberá que o respectivo "que" foi atendido? Utilizam-se, normalmente, os graus de intensidade fraco, médio ou alto, quando aplicáveis.
- *Fatores de dificuldade ou probabilidade*: são valores que indicam a maior ou menor dificuldade que a empresa tem para atender a cada um dos itens "como". É a probabilidade que cada "como" tem de ser realizado com sucesso. Os valores indicam a facilidade com que a empresa pode realizar cada "como".
- *Escores absoluto e relativo*: os graus de intensidade atribuídos na matriz de relações e a ordem de importância fornecida auxiliam na priorização dos esforços, ou seja, na seleção dos "comos" que deverão passar à próxima fase. Os escores são calculados multiplicando-se os graus de intensidade obtidos – um (fraco), três (médio) e nove (alto) – pela ordem de importância, de um a sete, fornecida pelo cliente. Os resultados dos escores absolutos (somatório de cada coluna "como") obtidos representam a importância relativa de cada "como" no atendimento do conjunto dos itens "que". Quanto maior o escore do "como", maior sua importância e a necessidade de que seja levado à próxima matriz. Por sua vez, escore relativo nada mais é do que a participação percentual do escore absoluto de cada "como" no total do escore absoluto obtido.

A figura 23 apresenta um exemplo simplificado da casa da qualidade preenchida.

Figura 23

Casa da qualidade

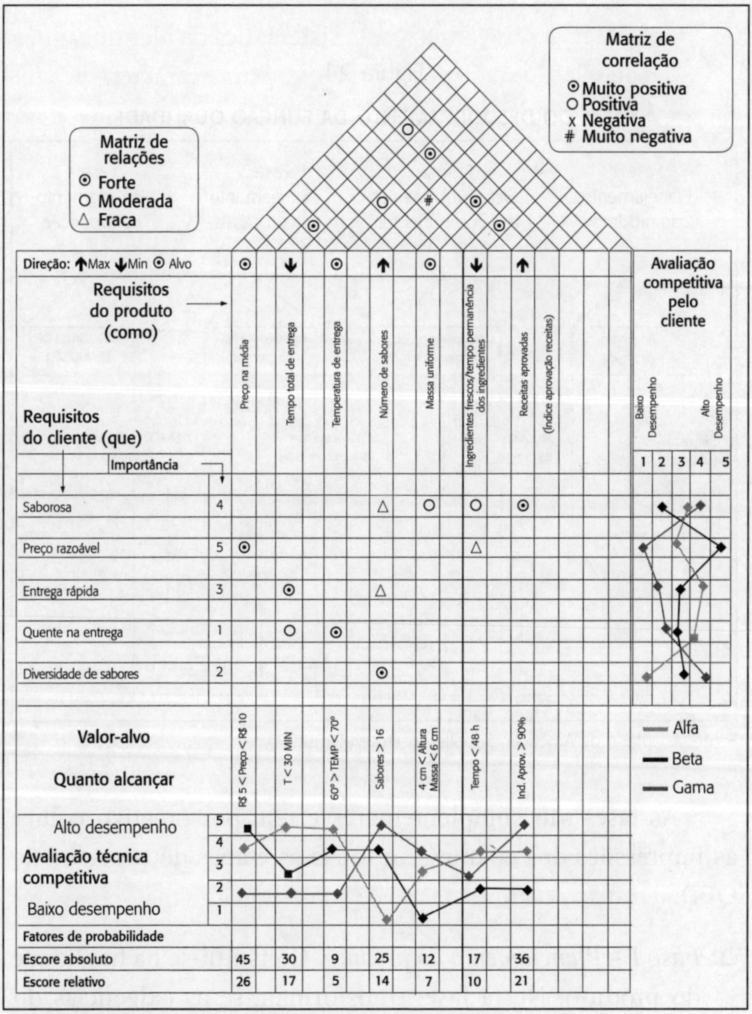

Fonte: Adaptado de American Supplier Institute (1989:57).

De uma fase para outra, migram os requisitos de maior relevância, assim como os que demandam novas tecnologias e os que apresentam alto risco de projeto, de modo que se minimizem tempo e esforço com os requisitos de um projeto já bem-sucedido. Esse desdobramento pode ser visualizado na figura 24.

Figura 24

FASES DO DESDOBRAMENTO DA FUNÇÃO QUALIDADE

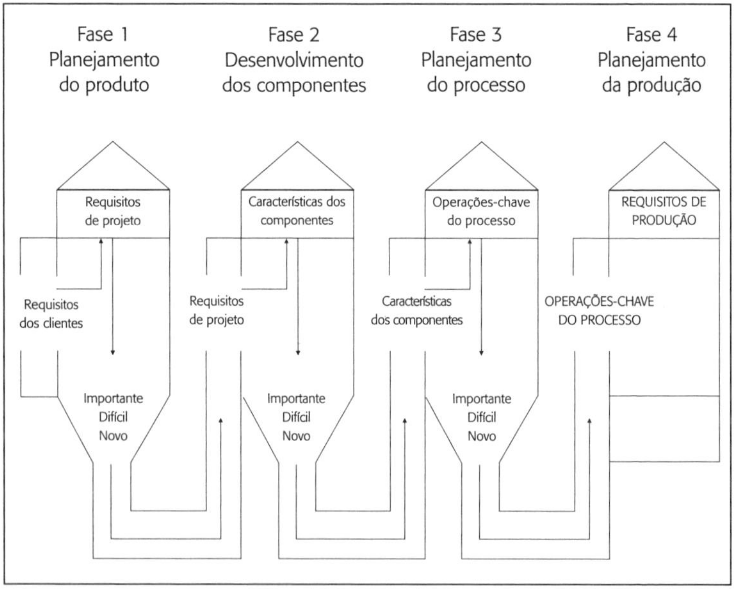

Fonte: Adaptado de American Supplier Institute (1989:28).

As fases são complementares e têm por objetivo colher as impressões dos clientes em todas as etapas do processo de QFD:

- *Fase 1 – Planejamento do produto*. Constitui-se na finalidade do produto. Nesta fase, transformam-se as exigências do cliente em "ques". A equipe se ocupa com o desenvolvimento da matriz, gerando diversos modos de traduzir os requisitos, ou seja, os "comos". O objetivo consiste em indicar que necessidades e desejos o produto deve atender. Após uma avaliação do grupo, alguns dos "comos" dessa relação serão transportados para a próxima fase. Ao final desta fase, é elaborada a matriz casa da qualidade.

- *Fase 2 – Desenvolvimento dos componentes*. Constitui-se na identificação das características do produto. Os "comos"da fase 1 convertem-se nos "ques" da presente fase. Nela, especificam-se os pormenores e componentes necessários para fabricar o produto ou prestar o serviço, acarretando a identificação de pontos que apresentam maior relação com a satisfação dos requisitos do produto, estabelecidos pelo cliente. Estes são os "comos" transportados para a fase seguinte. Em suma, os componentes especificados nesta fase objetivam atender aos requisitos do bem ou serviço definido pelo cliente.
- *Fase 3 – Planejamento do processo*. Adotando o mesmo procedimento da fase anterior, os "comos" da segunda fase transformam-se nos "ques" desta terceira. Os processos resultados desta fase são os que melhor atenderão aos requisitos do produto definidos pelo cliente. Esta fase tem como fim a escolha do processo a ser empregado para desenvolver o bem ou serviço que satisfará os requisitos do cliente. Objetiva-se, nesta fase, identificar, por exemplo, qual o fluxograma do processo e como aquelas características podem ser incorporadas. Estes são os "comos" que serão transportados para a quarta fase.
- *Fase 4 – Planejamento de produção*. Na presente fase, desenvolvem-se os requisitos de fabricação do produto. Os "comos" da fase anterior convertem-se nos "ques" desta etapa final. Os métodos de produção, para atender ao processo estabelecido na terceira fase, possibilitarão à empresa fabricar um

produto ou prestar um serviço inteiramente conforme as necessidades e desejos do cliente. Caso não haja problemas, serão adotados como padrão.

Ao final destas fases, é esperada a obtenção da solução para o objetivo do projeto.

Com o fim de se obter plena eficácia do método sob exame, é fundamental difundir a voz do cliente por todos os estágios do fluxo do processo, acarretando, por conseguinte, novas fases e respectivas matrizes.

A sequência de fases aqui apresentadas, conforme disposto na figura 24, deve ser, de modo geral, observada, sendo cada uma representada em forma de matriz, na qual os itens "que" correspondem aos itens "como" da relação matricial imediatamente anterior, e os valores dos itens "quanto", da matriz anterior, são transpostos para a nova matriz, de modo a serem preservados com os itens "como".

Observe, leitor, que o processo descrito transcorre continuamente até que cada objetivo seja desdobrado no nível da operação. Assim, nesse estágio prepondera, entre as ações consequentes, a seleção dos "comos" que ocuparão o lugar dos "ques" na fase seguinte. É imperioso que sejam os vitais – novos, importantes ou difíceis –, uma vez que são os que apresentam substancial risco ou oportunidade para a organização.

Podemos arrolar, de modo resumido, os seguintes procedimentos para a montagem da fase 1 do QFD, referente à casa da qualidade:

- estabeleça o objetivo do trabalho;
- levante requisitos dos clientes – "ques";
- priorize os requisitos com os clientes;
- levante a situação da concorrência com os clientes;
- traduza os requisitos do cliente em requisitos de projeto – "comos";

- identifique a direção de melhoria do "como";
- estabeleça a matriz de relação (telhado);
- estabeleça as metas e valores (quanto) para os itens "como";
- levante a situação da concorrência, de acordo com a avaliação técnica;
- analise eventuais conflitos de informação referentes à concorrência;
- estabeleça ajustes na matriz de relação;
- faça as correlações entre "ques" e "comos";
- calcule as importâncias absoluta e relativa;
- reavalie toda a matriz mais uma vez;
- selecione os requisitos de projeto que serão selecionados para as próximas fases.

Análise de valor

Nesta seção, será apresentado o método de gestão "análise de valor", muito empregado para redução de custos de produtos, serviços e processos nas organizações. A identificação sistemática das funções do produto, serviço ou processo em estudo, e o posterior estabelecimento do valor dessas funções permitem às empresas adotar estratégias de redução de custos, o que é muito importante numa economia global cada vez mais competitiva. Para melhor entendimento do método, esse assunto será apresentado para você, leitor, nos itens histórico, objetivos, conceito e metodologia de implementação.

Histórico

Resultado dos esforços das nações envolvidas na II Guerra Mundial, em especial os EUA, a análise de valor surgiu ante a necessidade de se substituir componentes e matérias-primas que, por causa da guerra, estavam escassos. Após o término da guerra, verificou-se que os produtos novos, ou seja, aqueles que haviam incorporado as novas soluções, tinham desempenho superior aos originais. Por isso, apesar da disponibilidade de materiais e matérias-primas no pós-guerra, já não se justificava retornar ao processo de fabricação anterior.

No fim dos anos 1940, o engenheiro Lawrence Miles desenvolveu um conjunto de técnicas apoiadas na observação das funções dos produtos. Sua concepção foi criar um método de trabalho que, independentemente de causas externas – como a escassez de produto –, levasse as empresas a pensar, de forma sistemática, no processo de fabricação de seus produtos, nos componentes existentes neles e nas funções desempenhadas, procurando, em última análise, otimizar os resultados, mediante a redução dos custos de fabricação, mas sem nunca deixar de atender às funções essenciais, ou, melhor dizendo, sem perder a qualidade.

Em meados da década de 1950, o sucesso obtido com o método fez com que este fosse incorporado a outras atividades.

A filosofia de seu uso se expandiu para a área de desenvolvimento de projetos, sendo essa aplicação normalmente denominada engenharia de valor. Nos dias atuais, o processo assumiu novas e maiores dimensões, não se limitando tão somente à função do produto ou ao projeto do produto, mas também se estendendo à reavaliação de atividades administrativas nas organizações – o que se convencionou chamar de gerenciamento de valor. Pela similaridade da metodologia, aqui será utilizado apenas o termo genérico "análise de valor" como referência às diferentes aplicações dessa metodologia.

O marco do processo de difusão desse método nos EUA foi o esforço desencadeado pela Associação das Indústrias Eletrônicas (EIA), no fim dos anos 1950, pois foi no âmbito dessa associação que surgiu a base para a criação da Sociedade Americana de Análise de Valor (Save), em 1959.

A aplicação mais sistemática desse método deveu-se, em boa medida, à busca de melhores resultados por parte dos empresários. A análise de valor irradiou-se em variadas direções, alcançando não só organizações privadas como também governamentais e de serviços. Essa expansão se deu a partir de seminários, cursos, artigos, além de compêndios abordando especificamente o tema. Desde então, ganhou o mundo, tendo seu êxito em cada país sido maior ou menor à razão direta do apoio governamental e do auxílio de associações técnicas, paralelamente ao treinamento.

Conceito

O conjunto de técnicas denomina-se análise de valor quando aplicado a produtos acabados; engenharia de valor, quando empregado em novos projetos; e gerenciamento de valor, quando conduzido em atividades administrativas. A engenharia de valor tem natureza sobretudo preventiva, por minimizar custos previsíveis, que pesariam sobre o produto durante seu ciclo de existência. Mas a utilização eficaz da engenharia de valor de modo algum evita um trabalho posterior, pautado na análise de valor.

Em suma, análise de valor constitui uma aplicação sistemática de técnicas com o objetivo de identificar as funções do objeto em estudo, estabelecer o valor dessas funções e provê-las ao menor custo possível, sempre garantindo nível de qualidade igual ou superior ao do produto inicial.

Objetivo

O método visa reduzir custos, principalmente os de produção, elevar os níveis de qualidade do produto e, consequentemente, o grau de satisfação dos clientes, aumentar o market-share e melhorar os resultados organizacionais. Visa, também, contribuir para a valorização e a motivação dos colaboradores na elaboração de soluções inovadoras, e para a compreensão, por todos, das funções que são importantes para os clientes do produto em estudo.

Metodologia

Inicialmente, é importante identificar algumas características e elementos do método, para que se entenda mais claramente a metodologia do trabalho e os passos para sua implementação.

O método tem como principais características:

- *pensamento na função*: preocupação em entender as funções do objeto em estudo e de que forma elas estão relacionadas com as necessidades dos clientes;
- *quantificação dos objetivos*: preocupação em traçar uma meta inicial, um objetivo. Por exemplo, uma redução de custos de 20%;
- *trabalho em equipe*: preocupação em trabalhar com pessoas (especialistas) de diversas áreas, de forma interdisciplinar;
- *criatividade*: preocupação em criar um ambiente propício ao uso da criatividade para lidar com os paradigmas existentes;
- *sistematização do trabalho*: preocupação em seguir uma metodologia entendida por todos, a fim de garantir um bom resultado;

Quanto aos principais elementos, destacam-se: objeto, função, custo e valor, que serão comentados a seguir:

- *objeto* – em análise de valor, objeto é um bem ou serviço, projeto ou processo de trabalho em estudo;

- *função* – são as tarefas ou atributos que os objetos procuram desempenhar ou de que são dotados. Devem ser descritas por um verbo acompanhado de um substantivo, como "armazenar conteúdo" (pote), "conduzir corrente elétrica" (fio), "conservar alimentos" (geladeira). O objetivo dessa descrição é permitir que o grupo busque, oportunamente e de modo criativo, produtos substitutos. As funções podem ser classificadas, quanto ao uso, em:
  (a) funções de uso: relacionadas com o valor de uso, como "conduzir energia" (fio) e "permitir assento" (cadeira);
  (b) funções de estima: relacionadas com o valor de estima do produto para os clientes, não sendo, em geral, mensuráveis, como "criar status" (cadeira);

  Quanto à classe, podem receber as seguintes classificações:
  (a) função principal: relacionada com a razão principal da existência do produto; por exemplo, no objeto cadeira, a função principal seria "permitir assento";
  (b) função secundária: relacionada com as funções que têm por objetivo auxiliar ou expandir o desempenho da função principal. As funções secundárias podem ser subdivididas em necessárias (que não podem ser suprimidas); desnecessárias (que podem ser suprimidas por não alterarem a utilidade nem a estima do objeto); e acessórias (que se caracterizam por permitirem novos usos do objeto em estudo). No exemplo do objeto cadeira, identificam-se as funções secundárias "suportar peso" (necessária), "servir de escada" (desnecessária) e "pendurar roupa" (acessória);
- *custo* – representa, de modo geral, a avaliação dos insumos e processos necessários para a produção de um bem ou serviço. Em análise de valor, o ganho de redução de custos dos elementos que entram na composição dos custos de produção deve ser obtido após o estudo das funções desempenhadas por estes;

- *valor* – em análise de valor, consideram-se basicamente quatro tipos de valor (Csillag, 1995):
  - (a) valor de uso: relacionado com as funções que o objeto deve cumprir;
  - (b) valor de estima: relacionado com o poder que o objeto exerce sobre as pessoas e que as leva a desejar possuí-lo. Está associado à atratividade;
  - (c) valor de custo: soma dos custos necessários para a produção do objeto;
  - (d) valor de troca: soma dos valores de uso e de estima, que define o valor percebido pelo cliente. Consiste, portanto, na convergência entre o valor percebido pelo cliente e o solicitado pelo vendedor.

Pode-se aumentar o valor do objeto, atuando de diferentes maneiras, a saber:

$$\frac{F \nearrow}{C \rightarrow}$$ Adicionando mais funções e mantendo o custo inalterado.

$$\frac{F \rightarrow}{C \searrow}$$ Mantendo o número de funções e reduzindo o custo.

$$\frac{F \uparrow}{C \nearrow}$$ Aumentando muito as funções e pouco o custo.

$$\frac{F \nearrow}{C \searrow}$$ Aumentando as funções e reduzindo o custo.

$$\frac{F \searrow}{C \downarrow}$$ Reduzindo pouco as funções e muito o custo.

Esta última maneira, entretanto, deve ser, em geral, evitada. O cliente não vê com bons olhos a redução de funções, a não ser que sejam funções realmente desnecessárias.

Com relação à metodologia empregada na elaboração do projeto de análise de valor, verifica-se uma multiplicidade de autores e modelos, mas todos pregam a elaboração de um plano de trabalho e entendem ser o método um instrumento de planejamento. Um dos motivos que justificam a necessidade desse planejamento é o fato de que propiciará, no futuro, o acompanhamento e o controle de todo o processo. A disponibilidade de registros suficientes aumenta a eficácia no desenvolvimento das atividades associadas à análise de valor.

A seguir, de forma resumida, temos um roteiro das possíveis etapas de desenvolvimento de um projeto de análise de valor. Cada uma dessas etapas possui um objetivo específico, não se devendo começar uma fase sem que a anterior tenha sido concluída. Vejamos:

- *etapa preparatória*:
  (a) escolher o objeto;
  (b) selecionar o grupo de trabalho;
  (c) determinar a meta de redução de custos;
  (d) planejar as atividades;
  (e) traçar o cronograma;
- *etapa informativa:*
  (a) colher informações sobre o objeto e suas partes;
  (b) determinar o custo e a função das partes;
  (c) traçar diagrama da árvore;
- *etapa crítica*:
  (a) selecionar as funções representativas do objeto;
  (b) estabelecer o custo real de cada função escolhida;
  (c) valorar cada função;
- *etapa criativa:*
  (a) gerar soluções alternativas;

- *etapa analítica*:
  (a) analisar e selecionar as soluções;
  (b) desenvolver estudo de viabilidade técnica e econômica;
- *etapa de implantação*:
  (a) desenvolver a solução e sua implantação;
  (b) implantar e medir os resultados;
  (c) realimentar o sistema com informações.

A etapa inicial, batizada de preparatória, consiste em adotar as providências preliminares necessárias para o desenvolvimento do projeto de análise de valor. Procede-se à seleção do objeto, optando-se, em geral, por aqueles de custo mais elevado, embora se possa adotar outros critérios, tais como volume de vendas e defeitos, por exemplo. Nesse momento, também ocorre a formação do grupo de trabalho multidisciplinar, tendo por base a observância de alguns requisitos, como interesse, conhecimento do objeto, disponibilidade de tempo, entre outros.

O número de indivíduos por grupo pode variar, ressaltando-se, entretanto, que equipes de cinco a oito pessoas têm apresentado resultados significativamente satisfatórios. Constituído o grupo, este efetuará a previsão da redução de custo pretendida e planejará as próximas atividades, estabelecendo um cronograma de trabalho.

A etapa seguinte, a informativa, prevê a obtenção de dados sobre o objeto e suas partes. A equipe deve identificar os custos e as funções das partes que compõem o produto, determinando sua classificação em funções principais ou secundárias – necessárias, desnecessárias ou acessórias –, bem como seu agrupamento em funções de uso ou de estima. Ao final dessa etapa, é elaborado um diagrama do tipo árvore, com o propósito de facilitar a visualização do relacionamento entre as funções, bem como de identificar o grau de importância de cada uma.

A etapa crítica é qualificada como uma das mais representativas da análise de valor, visto que nessa fase é que se realiza a comparação do custo estimado das funções com seu valor sugerido. Atribuir custos requer da equipe bom conhecimento do objeto, ao passo que valorar funções exige a percepção (a mais real possível) do valor que o cliente atribui a cada função desempenhada pelo produto. Assim, do mesmo modo que a abordagem do custo deve espelhar a ótica do fornecedor, a valoração das funções deve demonstrar o valor das funções para os clientes.

Para a consecução de seu propósito, essa etapa inclui a seleção das funções a serem mensuradas sob as óticas dos custos e do valor. O custo total do produto (normalmente obtido pelos processos de custeio tradicionais das empresas) deve ser alocado pelas funções que o produto exerce para os clientes.

Com relação à mensuração, via valor, das funções (entendido valor como custo ideal para a função), deve-se estabelecer o valor de cada função a partir da opinião dos clientes. Normalmente, é utilizada uma tabela matricial, que compara as funções desempenhadas pelo produto em estudo, para que os clientes definam, comparando pares de funções, aquelas que lhes são mais importantes. Com os dados apurados, deve ser processada a comparação do custo tradicional com o ideal (valor) de cada função, visando apurar a margem de redução potencial do custo original, estabelecendo-se, enfim, a prioridade entre as funções, de modo a orientar o trabalho da etapa seguinte.

O processo encontra-se, agora, na fase criativa, na qual o grupo deve gerar uma gama de ideias, de modo a identificar outros materiais e componentes que poderiam, a custos menores, atender àquelas funções selecionadas como prioritárias na fase anterior. Neste caso, normalmente, utiliza-se o brainstorming (tempestade de ideias), por ser um processo de grupo em que os indivíduos emitem ideias de forma livre, sem críticas, no menor espaço de tempo possível, como já foi visto no capítulo 3 deste livro.

À fase consecutiva, a analítica, cabe o estudo das soluções encontradas, elegendo-se as melhores, que passam à etapa de implantação. A seleção pode alicerçar-se em diversos critérios, como exequibilidade, produtividade, satisfação do cliente, entre outros.

As soluções preferidas devem ser submetidas a testes de conteúdo técnico e econômico, para se verificar sua viabilidade.

Por fim, a sexta e última etapa, a de implantação, requer que a solução destacada na fase anterior seja aperfeiçoada, implementada e reavaliada. Ressalta-se a necessidade de planejamento específico para essa fase, em que é gerado um cronograma de implantação, que deve se apoiar no engajamento de diversos setores da organização.

Neste capítulo, apresentamos a você, leitor, alguns dos métodos de gestão específicos mais usados, como QFD e análise de valor, e suas repercussões.

No próximo capítulo, vamos entender um pouco mais sobre qualidade em projetos, visando aumentar as chances de sucesso na sua consecução.

9 Qualidade em projetos

Caro leitor, nos capítulos anteriores, a qualidade foi abordada considerando os aspectos típicos da gestão da rotina e dos processos associados a produtos e serviços já bem caracterizados e nos quais os requisitos estão, de alguma forma, definidos ou acessíveis para compreensão e documentação ou descrição.

Neste capítulo, vamos lidar com um novo contexto: projetos.

Qualidade e projetos

O que é projeto? Segundo o Project Management Institute (PMI, 2008:11), instituição reconhecida mundialmente pela liderança na difusão de metodologias e boas práticas em gerenciamento de projetos, é um "esforço temporário empreendido para criar um produto, serviço ou resultado exclusivo".

Sua natureza temporária indica um início e um término definidos. Temporário não significa, necessariamente, de curta duração. Além disso, geralmente o termo temporário não se aplica ao produto, serviço ou resultado criado pelo projeto, que pode ter uma longa duração e cuja qualidade e processos associados de gestão são bem caracterizados pelo que já foi descrito nos capítulos anteriores.

Alguns aspectos são inerentes ao ambiente de um projeto e iremos descrever os mais relevantes:

- *temporariedade* – de fato, essa é uma premissa básica, a delimitação do tempo de realização, para distinguir do processo ou ciclo operacional do objeto resultante do projeto (*deliverables* ou "entregas"). Isso, na prática, significa um prazo para conclusão e, a partir daí, as "entregas" serão parte de um novo ciclo do produto resultante;
- *criação* – em geral, um projeto cria algo novo ou diferenciado, mesmo que similar funcionalmente ou com determinadas características de algo já existente;
- *exclusividade* – o termo "exclusivo" se refere a peculiar, não existente, não rotineiro. O ato de criar está associado à diferenciação no resultado almejado. Caso contrário, não seria um projeto, mas a realização ou produção de algo já definido. Estaríamos, então, diante do que poderia ser classificado como atividade operacional;
- *especificação de requisitos* – de fato, na grande maioria dos projetos, há especificação ou uma boa descrição funcional do que deve ser entregue como resultado. Alguns tipos de projetos envolvem algo inovador, não claramente identificado, mas em que se sabe o "rumo" a seguir. Nesses casos, os resultados vão sendo mais nitidamente estruturados ao longo da realização do projeto, no que poderíamos chamar de visualização e elaboração progressiva;
- *organização por fases ou elaboração progressiva* – quase todo projeto pode ser organizado por fases, e cada uma delas apresenta características peculiares devido a aspectos técnicos,

administrativos, pelo fato de ser feita pela própria organização ou por terceiros, entre outros motivos. As fases devem estar integradas e cada uma gera suas "entregas" específicas ou parciais. A figura 25 ilustra os conceitos de elaboração progressiva e fases superpostas:

Figura 25

FASES E ENTREGAS ASSOCIADAS

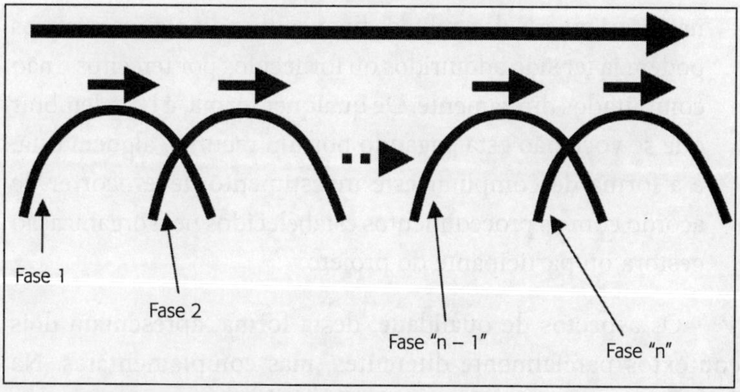

Por sua vez, a figura 26 ilustra as fases e as entregas (produtos ou serviços) que vão sendo geradas:

Figura 26

FASES DO PROJETO

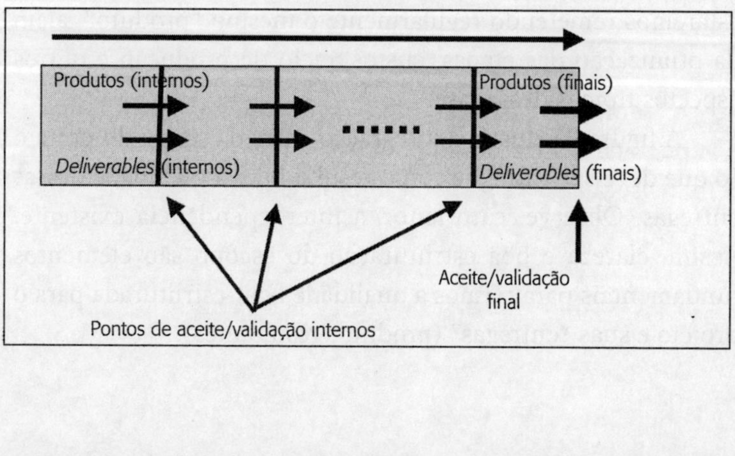

As entregas parciais são pontos de controle relevantes, que, em geral, aprovam ou autorizam a evolução do projeto para a fase seguinte, dando maior consistência ao processo gerencial e garantindo a qualidade do projeto;

- *recursos* – os projetos utilizam recursos de vários tipos: pessoas, equipamentos, instalações físicas, processos de apoio da estrutura organizacional, insumos de consumo e recursos financeiros. Todo projeto utiliza recursos, mas não necessariamente desembolso financeiro, pois alguns recursos podem já ter sido adquiridos ou fornecidos por terceiros e não computados diretamente. De qualquer forma, é bom lembrar que se você não está pagando por um recurso, alguém está, e a forma de computar este investimento deve ocorrer de acordo com os procedimentos estabelecidos pela organização gestora ou participante do projeto.

Os aspectos de qualidade, desta forma, apresentam dois contextos parcialmente diferentes, mas complementares. Na fase de projeto, é fundamental o estabelecimento dos requisitos funcionais e técnicos, além dos processos necessários para assegurar o alinhamento com seus objetivos e o escopo. Na fase pós-projeto, quando entramos no ciclo de "produção" ou entrega regular do que foi concebido no projeto, entram elementos de controle dos processos envolvidos, que visam garantir que estaremos remetendo regularmente o mesmo "produto", além da otimização das etapas, custos, ciclo de produção e outros aspectos típicos dessa fase.

A figura 27 ilustra a integração entre o escopo do projeto (o que deve ser entregue como resultado) e a qualidade dessas entregas. Observe, caro leitor, a interdependência existente. Assim, clareza e boa estruturação do escopo são elementos fundamentais para termos a qualidade bem-estruturada para o projeto e suas "entregas" (produtos resultantes).

Figura 27

INTEGRAÇÃO ENTRE ESCOPO E QUALIDADE EM PROJETOS

Escopo		Qualidade
Define entregas	→	Define os requisitos de aceite
Define objetivos gerenciais	→	Define a "missão" do projeto
Define o produto do projeto	→	Define as ações para se garantir e verificar a qualidade do projeto
Gerencia o escopo do projeto	→	Gerencia a qualidade do produto e do projeto

Gerenciamento da qualidade em projetos

O PMI, ao discorrer sobre gerenciamento da qualidade, afirma textualmente que

> os processos de gerenciamento da qualidade do projeto incluem todas as atividades da organização executora que determinam as responsabilidades, os objetivos e as políticas de qualidade, de modo que o projeto atenda às necessidades que motivaram sua realização [PMI, 2008:160].

O sistema de gerenciamento da qualidade é implementado por meio da política, dos procedimentos e dos processos de planejamento da qualidade, garantia da qualidade e controle da qualidade, com atividades de melhoria contínua dos processos conduzidos do início ao fim, incluindo as "lições aprendidas", que resultam em aperfeiçoamento metodológico para novos projetos da organização.

Esses processos interagem entre si e também com os demais processos nas outras áreas de conhecimento em gerenciamento de projeto (PMI, 2008). Cada um deles pode envolver esforço de uma ou mais pessoas ou grupos de pessoas, dependendo das necessidades do projeto. Cada processo ocorre pelo menos uma vez em todos os projetos e também em uma ou mais fases. Embora os processos estejam sendo apresentados como elementos distintos e com interfaces bastante definidas, na prática podem se sobrepor e interagir de maneiras diversas.

A abordagem básica do gerenciamento da qualidade deve estar em sintonia com as políticas e estruturas da qualidade da organização executora e com as demandas do cliente e *stakeholders*, incluindo aderência a processos certificados pela ISO 9001 ou outras normas aplicáveis, como ISO 14001 e OHSAS 18001, entre outras.

O gerenciamento da qualidade do projeto também aborda aspectos do produto no que concerne ao seu planejamento e, enquanto ele se aplica a todos os projetos, independentemente da natureza de seu produto, as medidas e técnicas de qualidade são específicas do tipo particular daquele que vai ser produzido. Por exemplo, o gerenciamento da qualidade de produtos de software exige abordagens e medidas diferentes daquelas aplicáveis a instalações de energia nuclear, enquanto as abordagens de gerenciamento da qualidade do projeto se aplicam a ambas.

Além do *PMBOK* (PMI, 2008), que aborda de modo geral os aspectos envolvidos em projetos, incluindo a dimensão qualidade, há normas internacionais específicas para sistemas de gestão da qualidade em projetos. Podemos citar:

- ABNT NBR ISO 10005: Sistemas de gestão da qualidade – Diretrizes para planos da qualidade;
- ABNT NBR ISO 10006: Sistemas de gestão da qualidade – Diretrizes para a gestão da qualidade em empreendimentos.

Outro aspecto importante a se considerar é a necessidade de lidar com os requisitos efetivamente necessários, evitando o denominado "*gold plating*", ou seja, ir além do que é adequado às circunstâncias e expectativas dos *stakeholders*, em especial, os que têm maior influência nos aspectos técnicos do projeto.

As técnicas contemporâneas de gerenciamento da qualidade complementam o gerenciamento de projetos. Por exemplo, independentemente de estarmos lidando com qualidade em operações (rotina) ou projetos, ambos devem levar em consideração a importância dos eguintes aspectos:

- *satisfação do cliente e dos* stakeholders – entendimento, avaliação, definição e gerenciamento de expectativas, de forma a atender às necessidades do cliente. Isso exige uma combinação de conformidade com os requisitos (o projeto deve produzir o que afirmou que produziria) e adaptação ao uso (o produto ou serviço deve satisfazer as necessidades reais);
- *prevenção sobre inspeção* – o custo de prevenção de erros em geral é muito menor que o custo de correção;
- *responsabilidade da gerência* – o sucesso exige a participação de todos os membros da equipe, mas é sempre responsabilidade da gerência fornecer os recursos necessários para que exista sucesso;
- *melhoria contínua* – o ciclo PDCA é a base da melhoria da qualidade. Além disso, as iniciativas pela organização executora, tais como GQT, seis sigma, Prêmio Nacional da Qualidade (PNQ), entre outras, podem melhorar a qualidade do gerenciamento do projeto e também a qualidade do seu produto.

Os processos de gerenciamento da qualidade em projetos (PMI, 2008) são:

- planejamento da qualidade;
- controle da qualidade;
- garantia da qualidade.

Iremos descrever cada um deles, mostrando também a interdependência existente.

Planejamento da qualidade

Planejamento da qualidade é o "processo de identificar os requisitos e/ou padrões de qualidade do projeto e do produto, bem como documentar de que modo o projeto demonstrará a conformidade" (PMI, 2008:160).

A figura 28 ilustra os elementos que compõem o processo de planejamento da qualidade. Iremos, então, caro leitor, a partir de agora, descrever sucintamente cada uma das entradas, ferramentas, técnicas e saídas.

Figura 28

PLANEJAMENTO DA QUALIDADE

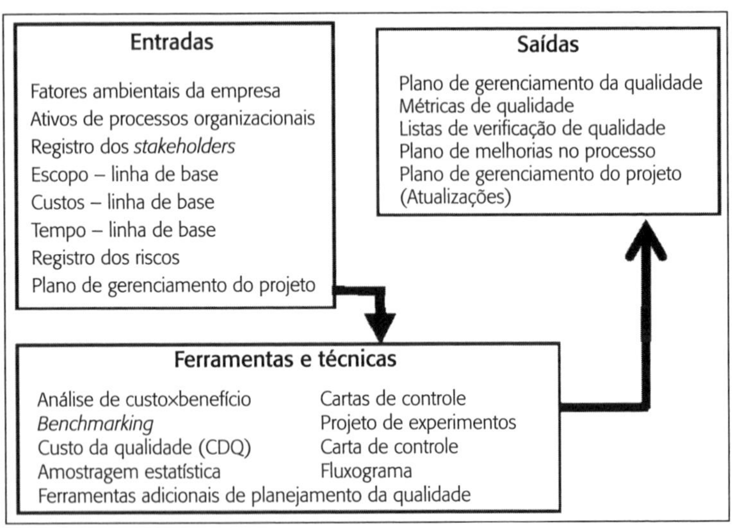

Fonte: PMI (2008).

Entradas

Os aspectos que devem ser observados nas entradas do processo de planejamento da qualidade são:

- *fatores ambientais da empresa* – representam a estrutura geral, macroprocessos, cultura organizacional e aspectos que caracterizam a organização que abriga o projeto e o ambiente de negócios ou, no caso de consórcio, as características das empresas líderes e seus aspectos mais relevantes para a organização do projeto além do modelo de gestão mais adequado. Os fatores ambientais mais típicos que influenciam o processo de planejar a qualidade incluem, entre outros:
  (a) regulamentações de órgãos governamentais;
  (b) normas, padrões e diretrizes específicos da área de aplicação;
  (c) condições de trabalho ou operacionais do projeto ou do produto que podem afetar a qualidade do projeto;
- *ativos de processos organizacionais* – são os principais recursos e informações disponíveis no ambiente do projeto. Incluem, entre outros:
  (a) políticas, procedimentos e diretrizes organizacionais de qualidade;
  (b) bancos de dados históricos;
  (c) lições aprendidas de projetos anteriores;
  (d) política de qualidade, endossada pela direção, que define a meta da organização executora em relação à qualidade. A política de qualidade da organização executora para seus produtos pode, com frequência, ser adotada "como está" para o projeto. Se a organização executora não tiver uma política de qualidade formal, ou se o projeto envolver várias organizações executoras, como no caso de um consórcio ou joint venture, a equipe de gerenciamento do

projeto precisará desenvolver uma política. Independentemente da origem da política da qualidade, a equipe de gerenciamento deve garantir que as partes interessadas estejam totalmente conscientes da política usada por meio da distribuição apropriada de informações.

- *registro dos* stakeholders – identifica as partes que têm um interesse específico ou impacto na qualidade;
- *linha de base* – é o conjunto das referências atualizadas e oficiais de escopo, custos e tempo definidos no plano do projeto;
- *registro dos riscos* – contém informações sobre as ameaças e oportunidades que podem afetar os requisitos da qualidade;
- *plano de gerenciamento do projeto* – é o plano geral do projeto, contendo as dimensões que caracterizam os aspectos que devem ser considerados no projeto para as fases de planejamento, execução e controle. Apesar de haver características peculiares a cada projeto, existem elementos que são comuns e típicos, sendo um deles o plano de gerenciamento da qualidade.

Ferramentas e técnicas

As ferramentas e técnicas relacionadas na figura 28 são usuais no ambiente da gestão da qualidade e três delas merecem breve explanação:

- *análise de custo × benefício* – apesar das inúmeras opções que, por vezes, temos disponíveis em um projeto para lidar com funcionalidades ou requisitos da qualidade, a análise de custo-benefício associados sempre deve ser considerada. Os demais elementos que compõem a estrutura do projeto e seu plano referencial (linha de base) são fundamentais, com destaque para escopo, custo, tempo, risco e opiniões das principais partes interessadas ou afetadas;

- *benchmarking* – considerar os bons referenciais do mercado e seus impactos potenciais, associando-os ou correlacionando-os com a análise custo-benefício;
- *custo da qualidade (CDQ)* – são análises de investimentos que podem ou devem ser feitos para obtenção de níveis ou padrões de qualidade maiores. Há muita semelhança com a análise de custo-benefício. A diferença é que seu enfoque é exclusivamente na área de qualidade.

Saídas

O planejamento da qualidade apresenta saídas típicas, que veremos a seguir:

- *plano de gerenciamento da qualidade e plano de gerenciamento do projeto* – contém os elementos do plano da qualidade, desdobrados a partir do plano referencial do projeto. Na realidade, tanto o plano da qualidade quanto o plano geral do projeto são entradas, sendo também afetados pelo plano da qualidade e pela estrutura geral do plano do projeto. É um processo de retroalimentação. Podemos e devemos considerar todas as partes e dimensões do plano do projeto como elementos que afetam e são afetados entre si;
- *métricas de qualidade* – são indicadores e parâmetros que deverão ser averiguados e exigidos nas "entregas" parciais e finais dos produtos resultantes do projeto. Em geral, são usados para o desenvolvimento dos procedimentos de controle da qualidade e também para efetivação da estrutura de garantia da qualidade;
- *listas de verificação da qualidade* – semelhantes às "métricas", porém pertinentes a aspectos que não podem ser medidos, mas que podem ser verificados; tipicamente, listas de verificação (*checklists*).

- *plano de melhorias no processo* – a partir das análises feitas para o desenvolvimento do plano do projeto, é usual a percepção ou identificação de oportunidades de melhoria nos processos que levam à implementação do nível de qualidade desejado para o projeto.

Garantia da qualidade

Garantia da qualidade é o processo de auditoria dos requisitos e dos resultados das medições de controle relativas à qualidade, para garantir que sejam usados os padrões adequados e as definições operacionais apropriadas. A figura 29 apresenta os componentes da garantia da qualidade.

Figura 29

Garantia da qualidade (PMI, 2008)

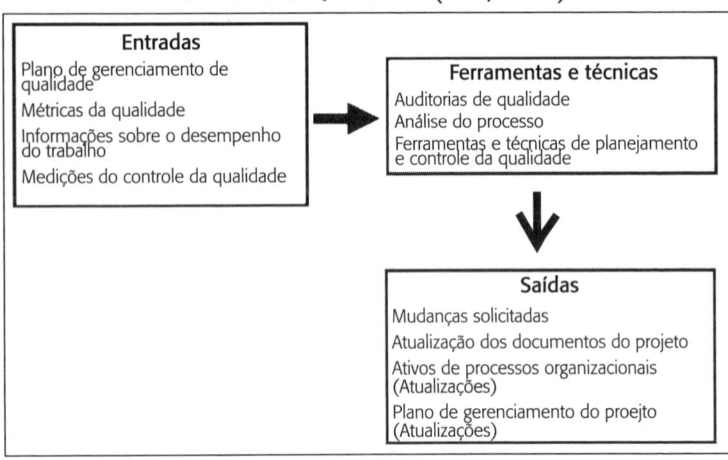

Fonte: PMI (2008).

Entradas

A garantia da qualidade apresenta as entradas típicas, que veremos a seguir:

- *plano de gerenciamento da qualidade* – já descrito;
- *métricas de qualidade* – já descritas;
- *plano de melhorias no processo* – já descrito;
- *informações sobre o desempenho do trabalho* – são as informações resultantes das medidas, dos relatos e das observações dos processos e produtos gerados no projeto. São analisadas e comparadas com a linha de base da qualidade e seus componentes;
- *medidas do controle da qualidade* – na maior parte dos projetos, há procedimentos para análise das entregas, parciais ou finais. Estes procedimentos são aplicados e utilizados para análise sistematizada dos resultados, verificando-se se estão em conformidade com os aspectos correlatos do plano da qualidade.

Ferramentas e técnicas

A garantia da qualidade apresenta ferramentas e técnicas típicas, que veremos a seguir:

- *auditorias de qualidade* – analisam a estrutura dos procedimentos e normas pertinentes durante a execução do projeto e verificam sua adequação. Em outras palavras, deve ser analisado se os aspectos estruturados durante a fase de planejamento da qualidade continuam válidos, assim como se há conformidade e disciplina adequada na implementação;
- *análise do processo* – os processos estabelecidos na fase de planejamento, assim como suas revisões, devem ser continuamente analisados e "criticados" durante a realização do projeto. O objetivo maior é melhorar os resultados na implementação do projeto e assegurar que os objetivos da qualidade que fo-

ram estabelecidos estejam de fato ocorrendo de acordo com os padrões e requisitos da qualidade estabelecidos;

- *ferramentas e técnicas de planejamento e controle da qualidade* – cada tipo de projeto demanda um conjunto peculiar de ferramentas e técnicas da qualidade. As mais usuais já foram descritas no capítulo 3 deste livro.

Saídas

A garantia da qualidade apresenta as saídas típicas, quais sejam:

- *mudanças solicitadas* – em função das análises feitas durante a realização do projeto, assim como da aplicação de auditorias e análises críticas de processos, muitas vezes surge a necessidade de mudanças, não apenas em aspectos da qualidade, mas também em outros itens do projeto, com destaque especial para o escopo;
- *atualização dos documentos do projeto* – as análises e auditorias aplicadas ao projeto muitas vezes geram mudanças e, consequentemente, as necessárias mudanças nos documentos;
- *atualizações nos ativos de processos organizacionais e planejamento do projeto* – devem ser realizadas conforme as demandas do projeto e sua evolução.

Controle da qualidade

Controle da qualidade é o processo de monitoramento e registro dos resultados da execução das atividades de qualidade, para avaliar o desempenho e recomendar as mudanças necessárias. A figura 30 apresenta os elementos típicos constituintes do processo de controle da qualidade.

Figura 30

CONTROLE DA QUALIDADE

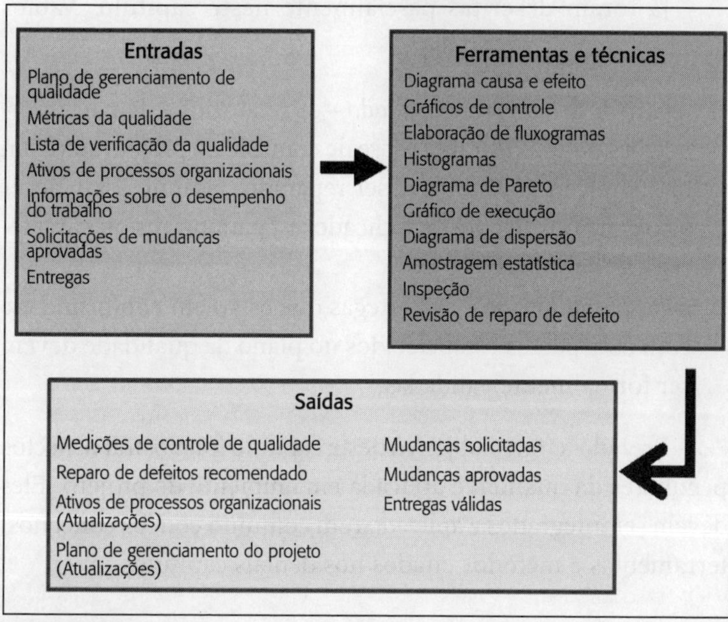

Fonte: PMI (2008).

Entradas

Os elementos que compõem as entradas no processo de controle da qualidade já foram descritos na seção "Garantia da qualidade". Acentuamos apenas que as entregas representam todos os produtos, serviços ou outros aspectos "entregues" em fases do projeto ou ao final. Devem ser analisados de acordo com o estabelecido no plano de qualidade do projeto.

Ferramentas e técnicas

As ferramentas e técnicas utilizadas dependem do tipo de projeto e das entregas, bem como dos processos utilizados. O capítulo 3 deste livro aborda diversas delas.

Saídas

Já foram descritas parcialmente neste capítulo. Vamos destacar apenas duas delas:

- *reparo de defeitos recomendado* – os relatórios e demais informações obtidos durante a fase de controle do projeto auxiliam na definição do que deve ser reparado, visando estabelecer a conformidade com os indicadores, parâmetros ou características definidas;
- *entregas validadas* – as entregas que estão em conformidade com os aspectos estabelecidos no plano da qualidade devem ser formalmente validadas.

Prezado leitor, o objetivo deste capítulo foi mostrar aspectos peculiares da qualidade aplicada em ambiente de projeto. Eles devem ser integrados e aplicados em conjunto com os conceitos, ferramentas e métodos citados nos demais capítulos.

Conclusão

Ao longo deste livro, você, leitor, pôde ver os caminhos que as organizações terão a oportunidade de percorrer com vistas a alcançar seus objetivos.

São inquestionáveis os fatos de que são múltiplos os métodos e ferramentas que auxiliam na gestão da qualidade e processos nas empresas e de que não existe hierarquia entre eles, mas, sim, aqueles que melhor se adaptam às necessidades específicas e pontuais de cada organização.

Na economia de mercado vivenciada pelas empresas, sua sobrevivência só é possível quando alcançados determinados patamares de competitividade. Mas logo podem chegar à obsolescência, se seus processos e sua gestão não forem reformulados continuamente.

Alguns fatores críticos norteiam quaisquer iniciativas de implantação de programas de melhorias, seja gestão pela qualidade total, seja ISO 9000, seis sigma ou outro. Contudo, alguns são de extrema importância e precisam estar sempre na mente dos profissionais que conduzem mudanças nas empresas, objetivando o alcance de suas visões. Entre eles, destacam-se:

- comprometimento da direção, uma condição essencial para qualquer iniciativa que vise à melhoria de processos, qualidade e produtividade;
- envolvimento das gerências intermediárias;
- cultura interna, que precisa ser levada em consideração;
- criação de um ambiente favorável à apresentação de sugestões e ideias;
- estímulo ao trabalho em equipe;
- treinamento, capacitação, conscientização e participação dos funcionários;
- geração e divulgação de resultados;
- utilização da linguagem do negócio, evitando-se o excesso de jargão específico dos que trabalham na área de processos e qualidade;
- divulgação das diretrizes e estratégias organizacionais e entendimento delas pelos colaboradores, bem como a compreensão de suas metas, autonomia e responsabilidades;
- disseminação das informações de forma clara e objetiva;
- inserção das ferramentas e métodos de gestão no dia a dia da empresa.

Na verdade, caro leitor, não existe apenas um caminho, para a implantação das técnicas e métodos associados à gestão da qualidade e processos, que garanta seu sucesso. O importante é considerar realmente todos os pontos primordiais estudados neste livro e escolher aquela diretriz que melhor se adapte ao negócio e à cultura da organização. Não faz muita diferença se o método a ser seguido provém de determinada escola, estudioso, autor ou consultor. O importante é que, escolhido o roteiro, este seja implementado com determinação e constância de propósito. Quanto mais adaptado à realidade da organização e às suas condições, maior a probabilidade de sucesso.

Apenas para servir como balizadores e referência, e nunca como regra específica, apresentamos, como sugestão, alguns passos para a implementação desse modelo de gestão da qualidade e processos:

- *fase de estruturação*:
  - (a) elaboração de diagnóstico e autoavaliação do sistema de gestão da empresa;
  - (b) definição do comitê executivo, do coordenador e dos facilitadores internos;
- *fase de sensibilização*:
  - (a) sensibilização das pessoas com relação ao lançamento do programa;
  - (b) treinamento e educação dos colaboradores em conceitos e ferramentas de gerenciamento;
  - (c) lançamento do método de gestão 5S, com possibilidade de estendê-lo para os conceitos de 8S;
- *fase de implantação*:
  - (a) análise dos processos e estabelecimento dos padrões de trabalho por áreas;
  - (b) implementação do gerenciamento de rotina e de melhoria e da gestão de processos;
  - (c) incentivo às atividades em equipe, como círculos de controle de qualidade, times funcionais e multifuncionais;
  - (d) criação de programas visando à participação de colaboradores na geração de ideias e inovações;
  - (e) implantação de sistema de gestão, em conformidade com os requisitos da norma ISO 9001;
  - (f) implantação de sistema de gestão, em conformidade com as orientações da norma ISO 9004;
  - (g) identificação de oportunidades e aplicação de métodos específicos de gestão, tais como QFD, seis sigma, *benchmarking*, entre outros;

   (h) busca de atendimento ao modelo de gestão sugerido no FNQ (PNQ), em sua versão simplificada;
   (i) busca de atendimento do modelo de gestão completo do PNQ;
- *fase de controle*:
   (a) elaboração de novo diagnóstico de autoavaliação do sistema de gestão da empresa;
   (b) análise dos resultados e implementação de ações corretivas ("rodar o PDCA").

Vale, porém, um alerta: as organizações, independentemente de seu porte e do mercado em que atuam, sabem que a excelência não se constrói sem o esforço e o empenho de uma equipe. Nessas condições, é inegável a importância do papel que os executivos e os empregados desempenham, pois são eles que podem desenvolver e implementar as estratégias organizacionais que conduzirão à excelência do desempenho organizacional.

A par de todas as temáticas apresentadas, é importante destacar que não se trata de modelos acabados. Na verdade, como apontado, vários outros aspectos também são abordados na gestão da qualidade e processos. Adicionalmente, deve-se ressaltar a capacidade inovadora de estudiosos para o desenvolvimento de novos métodos específicos de gestão, com vistas ao aumento da competitividade das empresas.

Dada a amplitude da temática que contempla o desenvolvimento, a manutenção e a melhoria do sistema de gestão organizacional, objetivando o reconhecimento, a prevenção e a superação das necessidades de todas as partes envolvidas – clientes, acionistas, colaboradores, fornecedores e sociedade em geral –, a gestão da qualidade e processos situa-se num patamar de relevo nas organizações, pois é ela que irá permear as estratégias e operações a serem implementadas. A disciplina "gestão da qualidade" trata na verdade, caro leitor, da "qualidade na gestão".

Referências

ABBOTT, Lawrence. *Quality and competition*. Nova York: Columbia University Press, 1955.

ABRANTES, J. *Programa 8S*: da alta administração à linha de produção, o que fazer para aumentar o lucro? 2. ed. Rio de Janeiro: Interciência, 2007.

AKAO, Yoji. *Desdobramento das diretrizes para o sucesso do TQM*. Nova York: Productivity Press, 1991.

AMERICAN SUPPLIER INSTITUTE. *Quality function deployment*: awareness manual. Dearborn, MI: American Supplier Institute, 1989.

ASSOCIAÇÃO BRASILEIRA DE NORMAS TÉCNICAS (ABNT). *ISO/TR 10013*: diretrizes para a documentação de sistema de gestão da qualidade. Rio de Janeiro: ABNT, 2001.

______. *NBR ISO 19011*: diretrizes para auditorias de sistema de gestão da qualidade e/ou ambiental. Rio de Janeiro: ABNT, 2003.

______. *NBR ISO 14001*: sistemas de gestão ambiental – especificação e diretrizes para uso. Rio de Janeiro: ABNT, 2004.

______ *NBR ISO 9000*: sistemas de gestão da qualidade – fundamentos e vocabulário. Rio de Janeiro: ABNT, 2005. Disponível em: <www.abnt.org.br>. Acesso em: dez. 2011.

______. *NBR ISO 22000*: sistemas de gestão da segurança de alimentos – requisitos para qualquer organização na cadeia produtiva de alimentos Rio de Janeiro: ABNT, 2006a.

______. *NBR ISO/IEC 27001*: tecnologia da informação – técnicas de segurança – sistemas de gestão de segurança da informação – requisitos. Rio de Janeiro: ABNT, 2006b.

______. *ISO/TR 10005*: sistema de gestão da qualidade – diretrizes para plano da qualidade. Rio de Janeiro: ABNT, 2007.

______. *NBR ISO 9001*: sistemas de gestão da qualidade – requisitos. Rio de Janeiro: ABNT, 2008a.

______. *ISO/TR 10006*: gerenciamento da qualidade – diretrizes para a qualidade em gerenciamento de projetos. Rio de Janeiro: ABNT, 2008b.

______. *ABNT NBR ISO 31000*: gestão de riscos – princípios e diretrizes. Rio de Janeiro: ABNT ISO, 2009.

______. *NBR ISO 9004*: gestão para o sucesso sustentado de uma organização – uma abordagem da gestão da qualidade. Rio de Janeiro: ABNT, 2010a.

______. *NBR ISO 26000*: diretrizes sobre responsabilidade social. Rio de Janeiro: ABNT, 2010b.

______. *NBR ISO/IEC 27004*: tecnologia da informação – técnicas de segurança – gestão da segurança da informação – medição. Rio de Janeiro: ABNT, 2010c.

______. *OHSAS 18002*: diretrizes para implantação da OHSAS 18001. Fife, Scotland: OHSAS, 2010.

BREYFOGLE, Forrest W. *Implementing six sigma*: smarter solutions using statistical methods. Nova York: John Wiley & Sons, 1999.

BROH, Robert A. *Managing quality of higher profits*. Nova York: McGraw-Hill, 1982.

CAMPOS, V. Falconi. *Gerenciamento pelas diretrizes* (Hoshin Kanri). 4. ed. Belo Horizonte: INDG, 2004a.

______. *TQC*: controle na qualidade total no estilo japonês. Belo Horizonte: INDG, 2004b.

CHENG, Lin Chih; MELO FILHO, Leonel Del Rey de. *QFD*: desdobramento da função qualidade na gestão de desenvolvimento de produtos. 2. ed. São Paulo: Blucher, 2010.

COLENGHI, Vitor Mature. *O&M e qualidade total*: uma integração perfeita. Rio de Janeiro: Qualitymark, 1997.

CROSBY, Philip B. *Quality is free*. Nova York: New American Library, 1979.

______. *Qualidade sem lágrimas*. Rio de Janeiro: José Olympio, 1994.

CSILLAG, João Mário. *Análise de valor*. São Paulo: Atlas, 1995.

DAVENPORT, Thomas H. *Reengenharia de processos*. Rio de Janeiro: Campus, 1994.

DEMING, W. *Qualidade*: a revolução da administração. Rio de Janeiro: Marques Saraiva, 1990.

EDWARDS, Corwin D. The meaning of quality. *Quality Progress*, Oct. 1968.

EL-HAIK, Basem; ROY, David M. *Service design for six sigma*: a road map for excellence. Nova York: John Wiley & Sons, 2005.

FEIGENBAUM, Armand V. *Total quality control*. Nova York: McGraw-Hill, 1961.

FUNDAÇÃO NACIONAL DA QUALIDADE. FNQ. *Critérios de excelência 2010*. São Paulo: FNQ, 2009. Disponível em: <www.fnq.org.br>. Acesso em dez. 2011.

______. *Critérios de excelência.* 19 ed. São Paulo: FNQ, 2011.

GALVÃO, Célio; MENDONÇA, Mauro. Fazendo acontecer na qualidade total: análise e melhoria de processos. Rio de janeiro: Qualitymark, 1999.

GARVIN, David A. *Gerenciando a qualidade*: a visão estratégica e competitiva. Rio de Janeiro: Qualitymark, 2002.

GILMORE, Harold L. *Product conformance cost. Quality Progress,* Jun. 1974.

GITLOW, Howard S. *Planejando a qualidade, a produtividade e a competitividade.* Rio de Janeiro: Qualitymark, 1993.

GUINTA, Lawrence R.; PRAIZLER, Nancy C. *Manual de QFD.* Rio de Janeiro: LTC, 1993.

HAGAN, John T. *The management of quality*: preparing for a competitive future. Milwaukee: Quality Progress, 1984.

HAMMER, Michael. Reengineering work: don't automate, obliterate. *Harvard Business Review*, p. 104-112, Jul./Aug. 1990.

HAMMER, Michael; CHAMPY, James. *Reengenharia*: revolucionando a empresa em função dos clientes, da concorrência e das grandes mudanças da gerência. Rio de Janeiro: Campus, 1994.

IMAI, Masaaki. *Kaizen.* Rio de Janeiro: Imam, 1994.

INSTITUTO NACIONAL DE DESENVOLVIMENTO E EXCELÊNCIA (Inde). *Código Brasileiro de Ética e Conduta.* São Paulo: Inde, 2002.

ISHIKAWA, Kaoru. *CCQ*: princípios gerais do controle da qualidade. São Paulo: IMC Internacional Sistemas Educativos, 1985.

JURAN, J. M. *Juran's quality control handbook.* 4. ed. Nova York: McGraw-Hill, 1988.

______. *A qualidade desde o projeto.* São Paulo: Pioneira, 1994.

______. *A qualidade desde o projeto*. São Paulo: Cengage Learning, 2009.

KAPLAN, Robert S.; NORTON, David P. A estratégia em ação: *balanced scorecard*. 5. ed. São Paulo: Campus, 1997.

KUEHN, Alfred A.; DAY, Ralph L. Strategy of product quality. *Harvard Business Review*, Nov./Dec. 1962.

LEFFLER, Keith B. Ambiguous changes in product quality. *American Economic Review*, Dec. 1982.

LUCAS, James M. The essential six sigma. *Quality Progress*, p. 27-31, Jan. 2002.

MARANHÃO, Mauriti; MACIEIRA, Maria Elisa Bastos. *O processo nosso de cada dia*: modelagem de processos de trabalho. 2. ed. Rio de Janeiro: Qualitymark, 2010.

MARSHALL JR., Isnard. Certificação ambiental em empresas industriais: o caso Bayer e os reflexos na conscientização de seus funcionários e famílias. *Revista de Administração Pública*, Rio de Janeiro, v. 35, n. 3, maio/jun. 2001.

OCCUPATIONAL HEALTH AND SAFETY ADVISORY SERVICES. *OHSAS 18001*: occupational health and safety assessment series. Disponível em: <www.ohsas-18001-occupational-health-and-safety.com>. Acesso em: 17 dez. 2011.

OFJUHI, Tadashi; ONO, Michiteru; AKAO, Yoki. *Método de desdobramento da qualidade*. Belo Horizonte: Fundação Christiano Ottoni, 1997.

PANDE, Peter S.; NEUMAN, Robert P.; CAVANAGH, Roland R. *The six sigma way*: how GE, Motorola and other top companies are honing their performance. Nova York: McGraw-Hill, 2000.

PEREZ-WILSON, Mario. *Seis sigma*: compreendendo o conceito, as implicações e os desafios. Rio de Janeiro: Qualitymark, 1999.

PIRSIG, Robert M. *Zen and the art of motorcycle maintenance*. Nova York: Bantam Books, 1974.

PMI STANDARDS COMMITTEE. *A guide to the project management body of knowledge*. Filadélfia: Project Management Institute (PMI), 2008.

RADFORD, G. S. *The control of quality in manufacturing*. Nova York: Ronald Press, 1922.

RODRIGUES, Marcus Vinicius. *Processos de melhorias nas organizações*. Rio de Janeiro: Qualitymark, 1999.

SHEWHART, W. A. *Economic control of quality of manufactured product*. Nova York: D. Van Nostrand Company, 1931.

SHIBA, Shoji; GRAHAM, Alan; WALDEN, David. *TQM*: quatro revoluções na gestão da qualidade. Porto Alegre: Artes Médicas, 1997.

SPENDOLINI, Michael J. *Benchamarking*. São Paulo: Makron Books, 1994.

TAGUCHI, Genichi. *Engenharia da qualidade em sistemas de produção*. São Paulo: McGraw-Hill, 1990.

TAKASHINA, Newton Tadachi; FLORES, Mário César Xavier. *Indicadores da qualidade e do alto desempenho*: como estabelecer metas e medir resultados. Rio de Janeiro: Qualitymark, 1999.

TAYLOR, Frederick W. *Shop management*. Nova York: Harper & Brothers, 1919.

TUCHMAN, Barbara W. The decline of quality. *New York Times Magazine*, 2 nov. 1980.

WATSON, Gregory H. Seis sigma na gestão dos negócios. São Paulo, *Banas Qualidade*, n. 99, p. 82-86, ago. 2000.

WERKEMA, Maria Cristina Catarino. *Criando a cultura seis sigma*. Rio de Janeiro: Qualitymark, 2002.

Os autores

Isnard Marshall Junior

Doutor em Engenharia Química pela Escola de Química da UFRJ. Mestre em Engenharia de Produção pela Coppe/UFRJ. Especialista em Administração pela PUC-Rio e administrador de empresas pela Ebape/FGV. Possui experiência gerencial adquirida durante mais de 25 anos de atividade profissional em empresas nacionais e multinacionais, em cargos gerenciais e de direção. É consultor de empresas, autor de artigos e parecerista em congressos. Atua também como coordenador executivo e professor convidado do FGV Management e da FGV in Company. É professor da Ebape/FGV.

Alexandre Varanda Rocha

Mestre em Administração de Empresas pela Eaesp/FGV, com ênfase em Produção e Sistemas de Informação. MBA em *Business Strategy* pela Copenhagen Business School. Engenheiro de produção pela UFRJ. Atua nas áreas da qualidade, projetos e produção, tendo prestado consultoria e treinamento para empresas públicas e privadas. Professor convidado do FGV Management e da FGV in Company.

Edmarson Bacelar Mota

É mestre em Engenharia e engenheiro eletrônico pela PUC-Rio. Atuou como executivo, diretor e consultor em diversas empresas nas áreas de qualidade, projetos, planejamento e marketing. Tem mais de 25 anos de experiência docente em ambiente universitário e em cursos de pós-graduação. Coordenador executivo e professor convidado do FGV Management e da FGV in Company.

Odair Mesquita Quintella

É mestre em Sistemas de Gestão pela UFF. Engenheiro mecânico pela UFRJ. Especialista em Qualidade pelo Instituto per la Ricostruzione Industriale (Itália). Tem mais de 40 anos de experiência gerencial na implantação de técnicas de qualidade e produtividade. É examinador do Prêmio Nacional da Qualidade desde 1992 e de prêmios regionais. Membro do Conselho Empresarial de Gestão Estratégica para Competitividade da Federação das Indústrias do Estado do Rio de Janeiro (Firjan) e professor convidado da Ebape/FGV, do FGV Management e da FGV in Company.